Louise Rennison

le bonheur
est au bout
de l'élastique

*Traduit de l'anglais
par Catherine Gibert*

NOUVELLES CONFESSIONS DE GEORGIA NICOLSON

GALLIMARD JEUNESSE

À ma famille chérie :
Mutti, Vati, Sophie, Libbs, Hons, Eduardo Delfonso
Delgardo, John S. Apee, Francesbirginia et surtout Kimbo.
Merci à tous d'avoir résisté à l'envie de me tuer.
À mes copains :
Salty Dog, Jools, Jeddbox, Badger, Elton, Jimjams,
Jenks, Phil, Bobbins, Lozzer, The Mogul, Fanny,
mon cher Geff, Mme H. Porky, Morgan, Alan D.,
Liz G., Tony G.,Psychic Sue, Roge the Dodge, Barbara D.
et le Top Gang du collège, ainsi que
Kim et Cock of the North.
Un merci tout particulier à John, dit le Pape.
Où en serais-je aujourd'hui sans le conseil avisé
qu'il me prodigua : «Arrête de faire ton cirque
et mets-toi au travail, bêtasse !»?
Merci du fond du cœur à Brenda, Jude, Emma et à
toute l'équipe géniale de Piccadilly, avec toute mon amitié.
Et, bien sûr, VIVE Gillon et Clare !!!!

Juillet

Dimanche 18 juillet

Dans ma chambre

 À la fenêtre, en train d'observer la vie épatante des gens dehors.

Qui aurait pu penser que les choses prendraient un tour aussi merdique ? Ça fait quatorze ans à peine que je suis sur terre et ma vie est déjà réduite à néant par l'égoïsteté des soi-disant adultes. Ce matin, j'ai sorti à ma mère :

– Mutti, tu es en train de détruire ma vie ! Et permets-moi de te dire que c'est immonde de t'en prendre à moi sous prétexte que ton avenir est derrière toi.

Mais comme à chaque fois que je dis quelque chose de particulièrement sensé, elle m'a fait un de ses tss tss tss habituels, tout en agrafant son soutif comme une joueuse de roulette russe. (À moins que ce ne soit comme une lanceuse de disque. Je ne sais plus au juste et vous savez quoi ? Je m'en tamponne.) Si j'avais conservé tous les tss tss tss qu'on m'a jetés à la tête depuis que je suis née... je pourrais ouvrir une boutique de tss tss tss. C'est TROP injuste... Comment mes parents osent-ils me séparer de

7

mes copines et m'obliger à aller en Nouvelle-Zélande ? Et juste une question : qui va en Nouvelle-Zélande ?

Quand j'ai fini par faire remarquer à Mutti à quel point elle était nulle comme mère, elle a carrément pété les plombs et s'est mise à HURLER :

– Monte dans ta chambre immédiatement !

– Très bien, je lui ai répondu du tac au tac. Tu l'auras voulu, je monte dans ma CHAMBRE ! D'accord, d'accord ! Et tu sais ce que je vais faire dans ma chambre ? Non, bien sûr, tu ne le sais pas. Eh bien, je vais te le dire, moi, ce que je vais faire dans ma chambre : rien. Je serai dans ma chambre, un point c'est tout. Parce qu'il n'y a rien d'autre à faire dans ma chambre ! ! !

Après quoi, j'ai claqué la porte de la cuisine et je l'ai laissée méditer sur la portée de ses actes.

Résultat des courses, je suis déjà au lit à six heures. Pas très fute-fute.

19 h 00 Oh, mon Robbie, où es-tu ? En fait, je sais où tu es, mais était-ce vraiment le moment d'aller faire une randonnée à pied ?

Évidemment, si on regarde les choses du bon côté, je suis la copine d'un Super-Canon.

19 h 15 Mais si on les regarde du mauvais, Super-Canon ne sait pas que sa nouvelle copine va être traînée de force de l'autre côté (nul) de la planète pas plus tard que dans une semaine

19 h 18 Je n'arrive pas à croire qu'après tout le temps qu'il m'a fallu pour conquérir Super-Canon, tout le maquillage que j'ai dû acheter, toutes les heures que j'ai passées à traîner dans la rue pour tomber sur lui par hasard chaque fois qu'il sortait de chez lui... tous les plans que j'ai échafaudés, comment j'ai pensé à lui... Bref, je ne peux pas croire une seconde que tout ce bon petit boulot finisse à la poubelle. Car au final, Super-Canon m'avait embrassée (niveau six sur l'échelle des choses qu'on fait avec les garçons) puis il m'avait fait : «Écoute, Georgia, disons qu'on peut commencer à sortir ensemble mais on n'en parle pas trop autour de nous au début.» Et c'est pile le moment que Mutti avait choisi pour m'annoncer avec le sens de l'à-propos trop nul qui la caractérise qu'on partait en Nouvelle-Zélande la semaine prochaine.

J'ai tellement pleuré que j'ai des yeux de souriceau. Même mon nez a gonflé. Ce n'est pas vraiment qu'il soit fluet en période d'euphorie mais là maintenant, ça me fait comme une troisième joue. Génial. Et encore merci pour tout, Dieu !

21 h 00 Je ne m'en remettrai jamais.

21 h 10 Le temps passe très lentement quand on est suicidaire.

21 h 15 J'ai mis des lunettes de soleil pour cacher mes yeux de rongeur congestionné. Un cadeau de maman qui pensait sans doute m'appâter avec ses projets de déplacement au Pays-du-Kiwi-en-Folie. Lamentable comme procédé. Faut reconnaître que les lunettes sont pas mal. J'ai l'air d'une actrice française avec, le genre qui fume des Gauloises et sanglote non-stop sauf quand elle roule des pelles à Gérard Depardieu. J'ai regardé dans la glace pour voir comment ça faisait quand je parlais français avec la voix rauque.

– *Quand je suis un adolescente, mes très horriblement parents me transportent en Nouvelle-Zélande. Merde!*

J'en étais là de ma prestation quand j'ai entendu maman monter l'escalier. D'un bond de lièvre, j'étais dans mon lit.

Mutti a glissé la tête dans l'entrebâillement de la porte et elle a demandé :

– Georgie... tu dors ?

Je n'ai pas répondu. Ça lui faisait les pieds. Avant de refermer la porte, elle a ajouté :

– Si j'étais toi, je ne dormirais pas avec des lunettes de soleil, tu risques de te les enfoncer dans le crâne.

Et vous appelez ça éduquer des enfants ! Chez mes parents, il y a bataille de compétences, maman c'est la médecine et papa le bricolage. Au rayon père, toute la famille a pu admirer sa conception très personnelle d'une cabane de jardin... avant qu'elle ne s'écroule sur la tête d'oncle Eddie.

J'étais en train de glisser tout doucement dans un pauvre sommeillon quand j'ai entendu des hurlements en provenance du jardin des voisins. C'étaient M. et Mme Porte-à-Côté, déchaînés, qui balançaient des trucs et des machins dans tous les coins en couinant comme des gorets. Vous n'allez pas me dire que c'est une heure pour faire du tapage nocturne de jardinage ! Les Porte-à-Côté ont une vie tellement pathétique qu'ils se fichent éperdument du sommeil des autres. J'ai failli ouvrir la fenêtre et crier : « Un peu moins de bruit en binant, les sous-êtres ! »

Mais je n'avais pas la force de m'arracher à mon lit de douleur.

Mucho excitemondo
Descente de police

0 h 10 Dès que j'ai entendu la sonnette d'entrée, je me suis précipitée en haut de l'escalier pour voir qui c'était. Maman était descendue ouvrir la porte en chemise de nuit atrocement transparente. Son anatomie était parfaitement visible par tout un chacun, même par ceux qui se seraient passés du panorama. Dont j'étais. Cette femme-là n'a aucun amour-propre. Aucun. En face d'elle, il y avait deux policiers. Le plus gros des deux tenait un sac à bout de bras et son pantalon était gravement déchiqueté dans la zone des chevilles.

– Est-ce que ce putain de chat vous appartient ?

Pas très poli pour un fonctionnaire si vous voulez mon avis.

Maman :

– Ben... Heu...

En deux secondes chrono, j'étais en bas.

– Bonsoir, monsieur l'agent. Est-ce que le chat dont vous parlez a la taille d'un bébé labrador ?

– Oui, répondit l'agent.

Je lui ai fait un signe de tête encourageant et j'ai continué mon interrogatoire.

– Est-ce que par hasard ce serait un tigré avec un bout d'oreille en moins ?

L'agent de police :

– Heu... Oui.

Et moi :

– Alors, désolée, mais c'est pas le nôtre.

Réplique totalement hilarante de mon point de vue mais pas du sien, visiblement.

– Il s'agit d'une affaire sérieuse, jeune fille.

Maman a remis ça avec ses tss tss tss qu'elle a agrémentés d'un nombre impressionnant de hochements de tête et d'une remise en place de ses super flotteurs partis vagabonder on ne sait où. Pas vraiment ragoûtant comme spectacle. Je me suis dit que tout cela allait incommoder le policier qui finirait par lui dire : « Vous feriez mieux d'aller vous habiller, madame. »

Mais, au lieu de ça, il a continué à me sermonner.

– Cette chose a bloqué vos voisins à l'intérieur de leur serre pendant une heure. Et quand ils ont enfin pu regagner leur maison, la chose s'est mise à rassembler leurs caniches comme des moutons.

– Effectivement, c'est une des ses habitudes. Normal, c'est un croisé de chat sauvage écossais. Il arrive qu'il ne puisse pas résister à « l'appel de la forêt » et...

– Vous feriez bien de le surveiller un peu mieux, m'a interrompue l'agent de la force publique avant de se lancer dans un discours-fleuve terriblement ennuyeux typique de la profession.

Au bout de douze heures quarante, j'ai dû le freiner dans son bel élan. Et croyez-moi, j'ai fait preuve d'une patience extrême compte tenu de mes soucis personnels.

– Écoutez, mes parents me forcent à aller à Whangamata qui se trouve de l'autre côté de la terre ou plutôt devrais-je dire de son côté archi-nul. En Nouvelle-Zélande pour être précise. Est-ce que vous avez vu la série *Les Voisins* à la télé ? Vous ne pourriez pas faire quelque chose pour moi ?

Ma mère m'a lancé un œil noir.

– Ne recommence pas avec ça, Georgia. Je ne suis pas d'humeur.

Le policier non plus n'avait pas l'air d'humeur.

– Ceci est un avertissement solennel, jeune fille. Si vous ne surveillez pas cette chose correctement, nous serons contraints de prendre des mesures plus sévères.

Comme à son habitude, maman s'est montrée particulièrement navrante. La voilà qui se mettait à sourire tout en tortillant une mèche de cheveux.

– Je suis confuse de vous avoir causé tout ce dérangement, inspecteur. Vous ne voulez pas entrer boire un verre ?

OH, LA HONTE ! Il a dû s'imaginer qu'on tenait un bordel à nos heures perdues. « L'inspecteur » souriait comme un imbécile.

– C'est très gentil mais le devoir nous appelle. La population a besoin de notre protection pour éviter de se faire agresser par d'odieux criminels, de dangereux matous et j'en passe.

J'ai pris le sac agité de soubresauts sans un mot avec juste un regard terriblement ironique au pantalon déchiqueté.

Quand les policiers sont partis, maman a crisé grave à cause d'Angus.

– Il faut se débarrasser de ce chat !

– Très bien, je lui ai fait. C'est ça, tu n'as qu'à prendre toutes les choses que j'aime et les piétiner les unes après les autres. Continue donc à ne penser qu'à toi et rien qu'à toi. Vas-y, te gêne pas, fais-moi traverser la moitié de la terre et perdre le seul garçon que j'aime. Figure-toi que ça ne se laisse pas comme ça un Super-Canon, ça se surveille...

Je parlais toute seule, Mutti était remontée dans sa chambre.

Angus est sorti du sac en se pavanant comme un pacha et il s'est mis tout de suite en quête d'un en-cas. Le monstre ronronnait sec. Nous en étions là quand Libby (limite coma) est entrée dans la cuisine armée de son doudou. Horreur, malheur ! Sa couche ballottait dangereusement au niveau des genoux. Une explosion de popo était bien la dernière chose dont j'avais besoin à cette heure-ci, aussi ai-je fait une très judicieuse suggestion à ma petite sœur :

– Libby, va donc demander à maman qu'elle te change ton immonde couche !

Mais Libby n'était pas de cet avis.

Elle s'est précipitée sur Angus en faisant :

– Chut, vilain garçon !

Puis elle s'est mise à suçoter le museau du monstre avant de l'emporter dans sa chambre avec la ferme intention de le fourrer dans son lit.

Je ne m'explique pas comment ce diable de chat lui laisse faire tout ça. Quand je pense que l'autre jour, j'ai failli me faire arracher la main, tout ça parce que je prétendais lui retirer sa gamelle avant la dernière bouchée.

II h 00 Je me sens total désespérée. Ça fait un jour et demi que Super-Canon et moi, on s'est embrassés et je crois que je suis déjà en manque de bécots. Je n'arrive plus à contrôler mes lèvres. Elles n'arrêtent pas d'avancer toutes seules.

Il faut impérativement que je trouve le moyen d'échapper au voyage au Pays-du-Kiwi-en-Folie. Ce matin j'ai fait la grève de la faim. Bon d'accord, je me suis tapé un bout de roulé à la confiture, mais c'est tout.

14 h 00 Téléphone.
Maman m'a hurlé :
– Gee, tu y vas, s'il te plaît ? Je suis dans mon bain.
Moi hurlant derechef :
– Tu peux nettoyer ton enveloppe corporelle tant que tu veux, ton âme restera toujours immonde, elle.
Re-hurlement :
– Georgia ! ! ! ! !
Je me suis extirpée de mon lit de douleur et j'ai rampé jusqu'au rez-de-chaussée pour décrocher le téléphone.
Moi :
– Allô, SOS Cœurs-Brisés ?
Mais, à l'autre bout du fil, il n'y avait que des craquements et des sifflements à n'en plus finir. Alors j'ai crié comme une sourde :
– ALLÔ, ALLÔ, ALLÔ, ALLÔ ! ! !
Et très très loin, j'ai entendu quelqu'un qui disait :
– Bordel de merde !
C'était mon père, rebaptisé Vati par mes soins, qui appelait de Nouvelle-Zélande. Pour ne pas changer, il était de mauvaise humeur sans aucune raison.
– Tu peux me dire pourquoi tu hurlais dans ce téléphone ?

Je suis restée remarquablement calme :

– Parce que tu ne disais rien.

– J'ai dit « bonjour ».

– Eh ben, j'ai pas entendu !

– C'est que tu n'écoutais pas comme il faut.

– Comment je pourrais ne pas écouter comme il faut quand je réponds au téléphone ?

– Je n'en sais rien. Mais s'il y a bien quelqu'un qui en est capable, c'est toi.

Allez, vas-y, rejoue-moi ta chanson. Mais oui bien sûr, c'est toujours ma faute.

– Maman est dans son bain.

– Attends une seconde. Tu n'as pas envie de savoir comment je suis ?

– Attends, laisse-moi deviner... Une moustache ridicule. Un rien enveloppé du côté du popotin. Je brûle, non ?

– Ne sois pas si insolente ! Va chercher ta mère. J'abandonne avec toi. Je me demande ce qu'on vous apprend au collège à part vous mettre du rouge à lèvres et être insolente justement.

J'ai posé le combiné parce qu'une fois lancé sur le sujet Vati peut tenir des heures si personne ne met le holà.

J'ai hurlé du bas de l'escalier :

– Mutti, il y a un type au téléphone qui prétend être mon cher Vati mais j'en doute car il a été franchement désagréable avec moi.

Maman est sortie de la salle de bains en dégoulinant comme une vieille serpillière avec les cheveux tout mouillés. Elle n'avait rien sur le dos à part une culotte et un soutif. Elle a réellement des flotteurs d'une taille hallucinante. Étonnant qu'elle ne se casse pas la binette avec le poids. Dieu me préserve !

Une remarque s'imposait.

– Écoute, maman, tu devrais faire un peu attention, je suis à un âge où on est très impressionnable, tu sais.

Elle m'a pris le combiné des mains avec un regard furibard. En remontant dans ma chambre, je l'ai entendue qui disait à papa :

– Allô, chéri ? Quoi ?... Je sais, je sais. Tu n'as pas besoin de me le dire... Elle est comme ça tout le temps. C'est un vrai cauchemar.

Sympa, non ?

Je ferai remarquer à ceux qui écoutent (c'est-à-dire personne) que je n'ai pas demandé à venir au monde. Si je suis là, c'est uniquement parce que Vati et Mutti ont.. beurk... passons. Je ne m'aventurerai pas plus loin sur le sujet.

Dans ma chambre

14 h 10 Et ça continuait à dégoiser dans le téléphone avec papa :

– Oui, Bob, je sais... je sais... JE SAIS... je sais.

Nom d'une petite culotte, vous appelez ça des adultes !

J'ai hurlé par-dessus la rambarde :

– Glisse-lui avec ménagement que je n'ai pas LA PLUS PETITE INTENTION d'aller au Pays-du-Kiwi-en-Folie.

Il a dû m'entendre parce que ses hurlements étouffés me sont parvenus jusqu'au palier du premier. Qu'il hurle ne m'a pas beaucoup étonnée, Vati est du genre violent. Une fois, pour blaguer, j'ai profité de ce qu'il était allé chercher un truc à la cuisine pour verser de l'after-shave dans sa bière. Eh bien, vous me croirez si vous voulez, ça ne l'a pas fait rire du tout. Dès qu'il a eu fini de tousser, il s'est mis à vociférer comme un vrai dément. J'avais les oreilles en compote.

– Tu es complètement idiote, ma pauvre fille ! ! ! !

Après ça, que personne ne s'étonne si plus tard je suis obligée de me ruiner chez un psy pour réparer les dégâts. (Dans l'éventualité où il y aurait un plus tard, ce dont je doute.)

14 h 30 Toujours en pyjama, en train d'écouter des chansons tristes.

Mutti a fait irruption dans ma chambre en même temps qu'elle me demandait l'autorisation d'entrer. Je vous rassure, la réponse était non, mais cette femme doit être dure de la feuille. Ma chère mère s'est donc assise sur le bord de mon lit et elle avait la prétention de poser sa main sur mon pied. Je ne vous raconte pas le cri que j'ai poussé. Exprès.

– Écoute, chérie. Je sais que c'est un peu compliqué pour toi tout ça, surtout à ton âge, mais il faut que tu comprennes que la Nouvelle-Zélande représente une vraie chance pour nous tous. Ton papa pense vraiment qu'il peut devenir quelqu'un à Whangamata.

– Pourquoi ça, il était personne avant ? Étonnant, moi j'étais persuadée que c'était un petit gros à moustache ridicule comme certaines les aiment. Suivez mon regard.

Et là bien sûr, un petit coup de pédagogie à la maman.

– Georgia, cesse de croire qu'on est drôle quand on est insolent parce que ce n'est pas le cas.

– Des fois, si.

– Non, jamais.

– Excuse-moi, mais si je me souviens bien, tu as rigolé comme une bossue quand Libby a appelé M. Porte-à-Côté « mignon trouduc ».

– Libby a trois ans et elle pense que « trouduc », c'est comme papa ou Bill. Georgie, vraiment, tu ne pourrais pas prendre ce voyage en Nouvelle-Zélande comme une merveilleuse aventure ?

– Ah oui, je vois. Comme quand on se fait renverser par un bus sur le chemin de l'école et qu'après on est transporté en ambulance à l'hôpital ? C'est ça ?

– Oui, c'est ça... NON ! ! ! Allez, Georgia, essaie d'être un peu mignonne avec ta maman.

Motus et bouche cousue.

– Tu sais bien que ton papa ne trouve pas de travail ici. Il n'a pas le choix. C'est pour nous qu'il fait tout ça.

Cent ans plus tard, elle poussait un soupir et sortait de ma chambre.

La vie est *très merde* et super cul. Pourquoi est-ce que maman ne comprend pas que je ne peux pas partir maintenant ? Il y a des moments où elle est atrocement bouchée. De toute évidence, ce n'est pas d'elle que je tiens ma remarquable intelligence. Si je suis numéro un en... heu... bon, bref, je me comprends, je ne le dois qu'à moi. En ce qui me concerne moi personnellement, je ne suis que la malheureuse héritière de ses gènes. Le gène du sourcil d'orang-outang par exemple. Pour avoir deux sourcils distincts, Mutti est obligée de procéder à une épilation radicale. Et avec l'égoïsme qui la caractérise, elle m'a refilé le handicap. Depuis que je les ai rasés par erreur l'été dernier, mes sourcils sont plus que jamais tendance forêt vierge. Le rasage les a dopés à mort et je vous jure qu'ils poussent d'un mètre par semaine. Si je les laissais vivre leur vie sans intervenir, je serais aveugle en octobre. Jas a des sourcils normaux, elle. Pourquoi pas moi ?

Et puisqu'on en parle, le pire de tout c'est qu'en prime, j'ai sans doute hérité de son gène du sein surdimensionné. Côté poitrine, ça pousse terriblement. J'ai carrément la trouille de finir comme Mutti avec des flotteurs monumentaux. Je vous garantis que dans la rue, elle ne passe pas inaperçue.

Un jour, on était sur le ferry pour aller en France et papa lui a fait comme ça :

– Connie, ne t'approche pas trop du bastingage sinon ta poitrine va être déclarée danger pour la navigation.

17 h 00 Je viens juste d'avoir un éclair de schpountz. Je suis un génie, je l'ai toujours dit. Simple comme bonjour, je vais dire à maman que je reste ici pour... GAR-

DER LA MAISON!!! Évidemment qu'on ne peut pas la laisser inoccupée pendant des mois. Sinon... ben... des squatters pourraient venir s'installer. Et, si ça se trouve, on aura droit à des anarchistes qui repeindront tout en noir, y compris les caniches des Porte-à-Côté. Après, ça ne m'étonnerait pas que les voisins réclament le retour d'Angus à cor et à cri.

Cette idée est trop géniale! Mutti va piger tout de suite l'intérêt de la chose.

Je vais lui promettre d'être mûre et adulte et responsable et tout le toutim. Je vais lui raconter que si je tiens tant à rester en Angleterre, c'est que notre système éducatif est top de chez top. Ça, c'est un argument massue.

Voilà ce que je vais lui dire : « Mutti, j'aborde un tournant crucial de ma scolarité. Tu ne devineras jamais ? Je crois bien que je vais être sélectionnée pour faire partie de l'équipe de hockey. »

Dieu merci, je n'ai pas voulu l'importuner avec mon dernier bulletin de notes. Je l'ai signé moi-même pour lui éviter une lecture fastidieuse.

17 h 05 Non, mais vous ne croyez pas qu'Œil-de-Lynx aurait pu écrire quelque chose de plus original que : *élève au comportement désespérément infantile*. Tout ça parce qu'elle m'a surprise en train de faire ma (remarquable) imitation du germe du tétanos.

17 h 10 Si je reste seule à la maison, j'organiserai des fêtes tellement géniales que ce sera la totale folie pour pouvoir y entrer. Faisons la liste de nos futurs invités :

• Primo – des Super-Canons :
Robbie... et... c'est tout.
• Deuzio – le Top Gang :
Rosie, Jools, Ellen... et... Jas, à condition qu'elle se

reprenne un peu et qu'elle soit plus réglo avec moi. Depuis qu'elle sort avec Tom, on ne peut pas dire qu'au rayon copine, elle soit exemplaire.

• Tertio – des occasionnelles proches :

Mabs, Sarah, Patty, Abbie, Phebes, Hattie, Bella… Bref, des filles avec qui j'aime bien rigoler mais à qui je ne prêterais pas forcément la veste en cuir de maman… Plus quelques relations et des garçons super craquants.

17 h 20 Si ça se trouve, j'inviterai aussi des danseurs dramatiques style Sven mais à condition qu'ils me fassent marrer et qu'ils soient sympas (et qu'ils m'apportent des cadeaux bien sûr).

17 h 23 Je vais vous dire qui ne fera pas partie des heureux élus : l'abjecte Pamela Green. Celle-là est rayée des tablettes à tout jamais. Si on m'oblige à m'asseoir à côté d'elle à la rentrée, ce coup-ci, je me tue. Comment peut-on être aussi ennuyeuse ? Je suis sûre qu'elle le fait exprès pour m'embêter. En plus, Miss Super-Rasoir élève des hamsters. Vous n'allez pas me dire que cette fille est nette, non ?

Qui d'autre sur la liste des parias ? Lindsay la Nouillasse. C'est l'ex de Robbie. Ce serait vraiment cruel de l'inviter pour qu'elle assiste à notre bonheur insolent et qu'elle nous voie nous embrasser, etc. Et puis, elle aura sûrement envie de me tuer et ça pourrait casser l'ambiance.

Qui d'autre ? J'allais oublier : Jackie et Alison, dites les sœurs la Galère ou sœurs Craignos. Elles, je ne les invite pas parce qu'elles sont trop vulgaires.

21 h 10 En train de regarder Mark, le garçon qui a la plus grosse bouche de la terre, passer avec ses potes dans la rue. Ils vont boire un pot. Dans la vraie vie, les gens se marrent bien. Je les hais. Je n'ai pas une seule vraie copine. Dès qu'il y a un garçon qui rapplique dans le secteur, je passe à la trappe. C'est lamentable. Personnellement, je ne serai jamais aussi superficielle. Je me demande si Super-Canon n'est pas en train de changer d'avis à mon sujet, rapport à mon nez.

21 h 15 Coup de fil de Jas qui s'est décollée de Tom un quart de seconde.
– Tu as dit à ta mère que tu refusais de partir ?
– Non, j'ai essayé mais elle a fait celle qui n'entendait pas. Je lui ai expliqué que je vivais une période décisive de ma vie et qu'à quatorze ans je touchais au seuil de la féminité.
– Tu touchais au quoi ?
Parfois, je me demande si Jas n'a pas un QI de mouche morte.
– Tu te souviens pas de ce que la Mère Fil-de-Fer, notre chère dirlo, nous a sorti à la fin du trimestre dernier ?
« Jeunes filles, vous touchez au seuil de la féminité. Et c'est la raison pour laquelle je ne veux plus voir de fausses taches de rousseur dessinées sur les nez. Non seulement c'est idiot mais en plus ce n'est pas drôle. Et je vous rappelle que c'est indigne de vous. »
– C'est drôle les fausses taches de rousseur.
– Je sais.
– Ben alors, pourquoi Fil-de-Fer aurait dit que c'était pas drôle ?
– Jas.
– Quoi ?
– Ferme-la, tu veux.

21 h 30 Au lit, mais pas toute seule. Se sont invités : Libby, sa poupée Barbie, qui fait de la plongée sous-marine et qui a des bras aussi pointus que des fourchettes, et son camion-citerne. Ça fait du monde tout ça. J'ai l'impression de dormir dans un coffre à jouets sauf que c'est beaucoup moins confortable. En plus Libby a exigé qu'on joue au baiser esquimau. Résultat des courses, j'ai le pif gravement irrité. J'ai beau lui dire : « Libby, faut arrêter avec les esquimaux là maintenant », tout ce qu'elle trouve à répondre, c'est : « Kwigglkwoggleugug », ce qui, dans sa petite tête de piaf, est sûrement de l'esquimau pure souche.

Qu'est-ce qui se passe au juste avec ma vie ? Est-ce que quelqu'un peut me dire pourquoi elle est si nulle ?

22 h 00 En train de regarder les étoiles qui brillent dans le ciel en pensant à tous les gens qui ont été malheureux avant moi au cours de l'histoire de l'humanité et qui eux aussi ont demandé à Dieu de les aider. Dans ma ferveur, je tombe à genoux (ce qui est passablement douloureux dans la mesure où j'atterris sur une assiette de sandwichs au jambon posée au pied de mon lit) et je prie Dieu sauvagement en versant des seaux de larmes.

– Dieu, s'il te plaît, fais que le téléphone sonne et que ce soit Robbie. Si jamais le téléphone sonne, je te promets d'aller à l'église tous les jours. Merci.

minuit Pour le résultat, j'aurais aussi bien fait de prier Vati. Non mais quel est l'intérêt de demander quelque chose à Dieu si c'est pour qu'Il reste les bras croisés.

Demain, j'achète un bouddha.

1 h 00 Vu l'urgence, je me demande si je ne ferais pas mieux de demander mes trucs à Bouddha tout de suite là maintenant plutôt que d'attendre de lui acheter une statue à grands frais.

Je ne sais pas très bien comment on s'adresse à lui.

J'espère seulement qu'il comprend l'anglais mais je suis à peu près sûre qu'avec lui c'est le même topo qu'avec les autres dieux, un genre de lecture dans les pensées et compagnie.

1h30 Comme ça ne fait pas très longtemps que je me suis convertie au bouddhisme (une demi-heure en tout), je me limiterai aux demandes essentielles :
1. Si je propose à maman de me laisser garder la maison pendant qu'elle est au Pays-du-Kiwi-en-Folie, il faut qu'elle réponde : « Mais oui bien sûr, ma chérie. »
2. Super-Canon doit téléphoner.

1h35 Je m'arrêterai là. Je ne vais pas embêter Bouddha avec des problèmes de nez (un peu moins volumineux, s'il vous plaît, et un peu plus retroussé si possible) ou une demande de réduction de volume mammaire sinon je vais y passer la nuit et il finira par s'imaginer que je ne crois en lui que pour obtenir des trucs.

Mardi 20 juillet

10h00 Je vais bientôt transformer ma chambre... en pagode, à moins que Dieu ne se reprenne vite fait bien fait. Les zoziaux gazouillent comme des zoziaux à une surboum de zoziaux. La journée est magnifique. Pas pour tout le monde, il va sans dire. Le soleil se reflète sur le crâne chauve de M. Porte-à-Côté qui joue avec ses immondes petits chiens jappeurs. Oh non ! Je viens juste de repérer Angus en train de rôder du côté de la cabane de jardin. Pas bon du tout, ça. Il a son air sournois à la « je me taperais bien un sandwich au caniche ». J'ai intérêt à descendre avec une saucisse pour éviter une nouvelle intervention de la maréchaussée.
Nom d'une culotte surdimensionnée, comment voulez-

vous que je sois une bonne bouddhiste si je suis interrompue toutes les cinq secondes ? Je parie que le dalaï-lama n'a pas de chat. Ni de père en Nouvelle-Zélande. Je me demande comment on appelle le père du dalaï-lama ? Papy lama ? (Je m'étonne moi-même. Ma vie a beau être un facsimilé d'imposture de vie, j'arrive quand même à rire et à être terriblement spirituelle.)

10 h 36 Non mais ça veut dire quoi ? Quand j'ai dit à maman que je comptais garder la maison pendant son absence, elle a éclaté de rire et m'a dit d'aller faire ma valise.

midi Alors qu'il est évident pour tout le monde que je suis profondément déprimée et au lit de surcroît, maman n'arrête pas de tourner et de virer dans ma chambre à faire des trucs et des machins comme si la vie était autre chose qu'une grosse farce tragique (ce qu'elle est pourtant). Elle m'a même obligée à me lever pour lui montrer ce que j'avais mis dans ma valise. Et là, méga crise de chez crise de nerfs.

– *Les hommes viennent de Mars, les femmes viennent de Vénus*, une pince à recourber les cils, deux deux-pièces et un cardigan ? ! ! ! !

– Ben quoi ? J'ai pas l'intention de sortir. Je peux pas encadrer les moutons et j'ai le cœur en capilotade.

– Mais tu envisages quand même de te mettre en maillot ?

– Je les ai pris uniquement pour raison de santé.

– Quelle raison de santé ?

– Ben, si j'arrive pas à manger à cause de mon chagrin d'amour, je m'exposerai au soleil pour éviter de devenir rachitique. On l'a fait en sciences nat le truc du soleil.

– C'est l'hiver là-bas, Georgie.

– Ça ne m'étonne pas de toi.

– Tu es ridicule.

C'est là que la rage m'a prise et que tout mon désespoir a jailli hors de moi tel un torrent bouillonnant.

– C'est moi qui suis ridicule, c'est ça ? C'est moi, hein ? Non mais on rêve. Figure-toi que c'est pas moi qui veux embarquer quelqu'un de force de l'autre côté de la terre sans raison valable !!!

Très cramoisie, Mutti, pour le coup.

– Sans raison valable ? Mais on va voir ton père !

– C'est bien ce que je disais.

– Georgia, tu es affreuse.

Et hop ! elle quitte ma chambre comme une tornade.

Je suis limite sur le point de pleurer. Ce n'est pas ma faute si je suis affreuse, c'est juste que j'ai trop la pression. Pourquoi est-ce que papa ne pourrait pas être ici, histoire d'être affreuse avec lui mais sans me sentir affreuse à l'intérieur. (Et sans avoir à me taper le tour de la planète. La plupart des autres filles de mon âge n'ont qu'à aller dans leur salon pour être affreuses avec leur père.)

Ce n'est pas aisé d'avoir un père absent, personne ne semble le comprendre. En fait (si on oublie ma mère, mes grands-parents, mon immonde cousin James...), je suis orpheline. Ni plus ni moins.

13 h 00 Libby est entrée dans ma chambre en portant un bol de lait avec précaution. Elle faisait des petits bruits de chat.

– C'est mignon, ma Libby, mais Angus est de sortie. Pose le bol par terre pour qu'il le trouve en rentrant.

Mais je n'y étais pas du tout. Libby s'est hissée sur l'extrême pointe des pieds et elle a posé le bol de lait devant moi sur mon bureau. Après quoi, elle a mis ses petites mains adorables sur ma tête et elle a commencé à me caresser les cheveux. Je ne vous raconte pas la fontaine.

– Tu sais, ma Libby, si jamais je n'arrive pas à être heureuse, je me débrouillerai pour que toi au moins tu aies une super vie. Je renoncerai à mes vœux de bonheur personnel et je serai un peu comme ta nounou bouddhiste. Je porterai des chaussures plates et je m'enroulerai dans un de leurs immondes draps orange et...

Et là Libby a poussé ma tête vers le bol de lait avec une brutalité rarement observée chez un être aussi minuscule, en me faisant :

– Allez, vas-y, trognonne. C'est l'heure du miam-miam.

Un de ces jours, elle va m'obliger à dormir dans le panier du chat. Honnêtement, je crois qu'il est vraiment temps qu'elle retourne au jardin d'enfants pour côtoyer des enfants normaux.

Il y a vingt-quatre heures de vol pour la Nouvelle-Zélande.

18 h 00 Oncle Eddie est arrivé sur sa moto d'avant-guerre en faisant un boucan du tonnerre. Il vient chercher Angus. Comment vais-je faire pour vivre sans mon gros monstre velu ? Et lui, qu'est-ce qu'il va devenir sans moi ? Je suis la seule à connaître ses petites manies. Personne ne sait qu'il faut lui attacher ses saucisses à une ficelle et faire le tour de la maison avec pour qu'il puisse bondir dessus en sortant comme un diable de derrière les rideaux. Qui s'y connaît en courses de souris à part moi ? Pas oncle Eddie, ce qu'il y a de sûr. C'est clair que ce type descend tout droit de la planète barjo. Il est entré dans la maison en gardant son cuir de moto et son casque. Quand il l'a retiré, il m'a fait :

– Comment vas-tu-yau de poêle ?

Non mais qu'est-ce qu'il a ? Je me demande comment maman a pu s'imaginer qu'un type aussi chauve et aussi givré était capable de s'occuper d'un animal. De toute façon, ce qu'elle a pu ou non s'imaginer n'a strictement

26

aucune importance dans la mesure où oncle Eddie ne risque pas d'attraper Angus et de le fourrer dans un panier à chat, dût-il y passer quelques milliards d'années.

18 h 30 Je suis en train d'expérimenter l'extrême limite de la tristesse. Quand je pense qu'on va être partis des mois ! Les copines vont me manquer atrocement et, surtout, je vais perdre Super-Canon, sans parler de ma carrière de hockeyeuse qui est complètement foutue. C'est bien connu que les Maoris ne jouent pas au hockey, ils jouent au... heu... Bref, on n'a pas encore fait la Nouvelle-Zélande en géo. Total, je ne sais pas quel est le sport national. Et d'ailleurs, est-ce que ça intéresse quelqu'un ?

18 h 35 Le temps s'écoule à la vitesse de l'escargot. J'ai l'impression d'attendre qu'on m'enterre ou bien d'être en cours d'éducation religieuse, j'hésite.

Coup de fil à Jas. L'idée était de savoir si Tom avait des nouvelles de Super-Canon, son sublime frère aîné, sans que Jas s'aperçoive que je me tamponnais le coquillard de ses histoires personnelles. Donc, très finement, j'ai commencé par lui poser quelques questions sur son « fiancé ».

– Salut, Jas, comment ça va avec Tom ?

Gloussements de dinde à l'autre bout du fil.

– Tu sais quoi ? On était justement en train de se marrer comme des fous parce que Tom me racontait que l'autre jour au magasin...

– Est-ce qu'il t'a dit des trucs... comment dire... intéressants ?

– Des tonnes !

Et là, silence. Cette fille me rend MABOULE !

Moi :

– Comme quoi ?

– Ben, il voudrait proposer à ses parents de vendre un peu plus de produits laitiers parce que..

– Non, Jas, non. J'ai dit des trucs intéressants, pas atrocement soporifiques. Confonds pas. Est-ce que par hasard il t'aurait parlé de son sublime frère aîné ?

Évidemment ça l'a un peu vexée mais elle m'a fait :

– Attends une seconde.

Ensuite, je l'ai entendue hurler :

– Tom, est-ce que tu as parlé à Robbie ?

Dans le lointain, Tom a hurlé à son tour :

– Non, il est parti faire une randonnée à pied.

Moi :

– Ça, je le sais.

Re-hurlement de Jas :

Elle le sait.

Tom :

– Qui ça ?

– Georgia.

Et là, j'entends la mère de Jas s'y mettre elle aussi.

– Pourquoi est-ce que Georgia s'intéresse à Robbie ? Elle ne part plus en Nouvelle-Zélande ?

Jas :

– Si. Mais elle donnerait n'importe quoi pour le revoir avant de partir.

J'ai profité d'un minuscule blanc pour glisser à Jas :

– Je voulais juste savoir quand Robbie rentrait, j'avais pas l'intention d'en débattre avec tous tes voisins.

La revoilà toute vexée.

– C'était juste pour t'aider.

– Eh ben, le fais pas.

– OK, j'ai pigé.

– Parfait.

Silence.

– Jas ?

– Quoi ?

Qu'est-ce que tu fais ?

– J'aide pas.

Un jour, il faudra que je la tue.

– Demande à Tom s'il sait quel jour Robbie rentre.

– Je vois vraiment pas pourquoi je le ferais, mais je vais le faire quand même.

On était reparti pour une autre série de hurlements.

– Tom, il rentre quand, Robbie ?

Intervention de la mère de Jas.

– Je croyais qu'il sortait avec Lindsay ?

Précision de Tom :

– C'est fini. Maintenant, il est avec Georgia.

La mère :

– Si vous voulez mon avis, Lindsay va très mal le prendre.

JE N'EN CROYAIS PAS MES OREILLES.

Re-hurlement de Tom :

– Dis à Georgia qu'il ne rentre pas avant lundi soir.

Lundi prochain ! Lundi prochain, à la même heure, je me ferai furieusement suer chez les Maoris. J'ai fait la courageuse pour ne pas tournebouler ma copine.

– Bon d'accord, c'est vrai que j'arrive à en rire et tout, mais c'est juste que ça fait tellement longtemps qu'il me plaît, Robbie. Et toi tu sais bien que c'est pas juste parce que c'est le chanteur des Stiff Dylans. Tu te rends compte, ça fait un an que je lui cours après. Je te jure quand il m'a embrassée, c'était dément. J'ai cru que j'allais me liquéfier sur place. Un peu plus, je bavais comme un crapaud. Mais heureusement, je me suis tenue. J'ai comme l'impression qu'il a oublié l'épisode de la mèche de cheveux qui m'est restée dans la main, qu'est-ce que t'en dis ?

Il y a eu un cling-clong au bout du fil, puis Jas a parlé avec la bouche pleine :

– Allô ? Allô ? Qu'est-ce que tu disais ? J'étais partie me chercher un sandwich pendant que Tom te parlait.

Qu'est-ce que le point ?

19 h 30 Non mais vous avez vu ce qu'elle m'a fait ? Cette fille n'existe plus pour moi. Là maintenant, c'est comme une des femmes de la Bible qui plaque tout et devient prostituée ou je ne sais quoi. Désormais, Jas est la fille sans nom.

21 h 00 Téléphone. Je me suis précipitée en bas. C'étaient Rosie, Ellen, Jools et Miss Sans-Nom (Jas) qui m'appelaient de la cabine téléphonique du bout de la rue. Rosie parlait avec l'accent chinois.

– Ramène ta fraise à la cabine.

Je me suis mis un peu de mascara et un coup de brillant à lèvres, histoire de dissimuler les traces de mon chagrin. En ce qui concerne Mutti et oncle Eddie, ça n'a pas fait grande différence car ils étaient trop occupés à essayer de coincer Angus.

Le monstre est planqué sur le haut de mon armoire. Je sais qu'il a mis des provisions de côté parce que j'ai reçu un morceau de maquereau sur la tête en passant. Il peut tenir un siège. J'espère qu'ils ne le retrouveront jamais, ça leur fera les pieds. Bande de chat-pardeurs !

Ce n'est pas du tout mon genre de tirer sur les ambulances mais je dois dire qu'oncle Eddie détient le record du monde de la calvitie toutes catégories confondues. Vous voyez à quoi ressemble un œuf dur ? Eh bien, oncle Eddie c'est ça mais avec un pantalon en cuir. Un jour, il est venu voir maman et après avoir sifflé leur habituelle barrique de vin, oncle Eddie s'est endormi dans le jardin le nez dans le gazon. Dès qu'il a ronflé, je me suis dépêchée de lui dessiner une autre figure sur le dos du crâne. Trop poilant, comme idée. D'autant que je l'ai fait à l'encre indélébile. Normal, il y a eu vengeance. Un soir, il s'est pointé à une soirée dansante du collège sur sa moto préhistorique et devant toutes mes copines réunies, il a demandé où j'étais en se faisant passer pour mon nouveau copain.

Bref, vous appelez ça une vie... Un jour vous roulez une pelle de niveau six à un Super-Canon sans qu'il y ait dégâts au plan patrimoine dentaire, et l'autre on vous oblige à aller chez les Kiwis-en-Folie qui ont pour passe-temps favoris les bains prolongés dans des mares de boue et la dégustation d'asticots grillés. (Je n'invente rien, je l'ai lu dans une brochure sur la Nouvelle-Zélande.) Trop cul!!! Ou plutôt comme diraient nos minuscules amis français : *Beaucoup le fesse !!!*

21 h 30 Quand je suis arrivée à la cabine, j'ai trouvé toutes les copines entassées à l'intérieur. Je ne vous raconte pas comment elles se sont encastrées pour ouvrir la porte et me laisser passer. Quand j'ai rejoint la mêlée, Jools m'a fait :

– *Bon nuit, ma petite cornichon.*

Avec moi en plus, on était serrées comme des sardines à une surboum de sardines. Rosie a réussi à extraire une main du tas et elle m'a tendu un Photomaton.

– On t'a apporté ça pour que tu ne nous oublies pas.

Sur le Photomaton, il y avait Rosie, Jools, Ellen et Jas (Miss Sans-Nom) avec le nez scotché en arrière comme des cochons.

Au dos de la photo, elles avaient écrit : « Porc-toi bien ! Garde notre PORC-TRAIT en souvenir. »

J'ai failli pleurer mais j'ai assuré.

– Merci beaucoup, les filles, et à la revoyure.

Et là, il a fallu qu'on sorte de la cabine parce que Mark (le garçon à la bouche énorme qui habite en haut de ma rue et avec qui je suis sortie deux ou trois jours avant qu'il me balance pour retourner avec Ella, une fille qui le laissait « lui faire des trucs ») voulait téléphoner. Il était planté là et il nous regardait nous contorsionner comme des folles pour nous extraire du bocal. Sans blague, il a la plus grosse bouche que j'aie jamais vue de ma vie. Quand je pense qu'il m'a roulé une pelle avec, j'ai de la chance d'avoir encore toute ma figure.

– Ça biche ? nous a fait Grosse-Bouche avec un air qui disait clairement : « Ça biche, les lesbiennes ? »

Qu'est-ce que ça pouvait me faire ? Ma vie était fichue de toute façon.

On est rentrées chez moi bras dessus bras dessous mais j'ai évité de me coller à Jas parce qu'elle avait été vraiment trop immonde avec moi. Oncle Eddie avait dû réussir à fourrer Angus dans le panier à chat parce que les gants de jardin dont il s'était servi pour l'attraper traînaient dans l'allée avec les pouces furieusement déchiquetés.

On s'est embrassées et on a pleuré comme des veaux. C'était horrible ! J'étais presque arrivée à la porte de la maison quand Jas s'est tout bonnement jetée à mon cou. Elle n'arrivait plus à parler tellement elle pleurait. Finalement elle a réussi à me sortir :

– Ça sera plus pareil sans toi, Georgie. Je... je... je... t'aime. Excuse-moi d'avoir mangé un sandwich.

Mercredi 21 juillet

l'aube (Bon, d'accord, 10 h 00.)

Coup de fil à ma très chère amie, Jas, qui m'aime tant. Ben voyons...

Maintenant qu'elle s'imagine avoir un « vrai » copain, elle se comporte comme si elle avait cent dix ans.

– Écoute, Gee-Gee. Je peux pas te parler là maintenant parce que faut que j'aille retrouver Tom. Je te rappelle plus tard, OK ? Je te laisse. À toute.

« Je te laisse. À toute ? » Je me demande si cette fille n'a pas fini par disjoncter. En fait, mon sort n'intéresse personne. C'est clair que quand on est malheureux, c'est un peu comme si on avait la gale. Dans la vie, faut rester Miss

Boute-en-Train en permanence si on ne veut pas finir chez les pestiférés. À ce compte-là, il va peut-être falloir que je rebrosse Dieu dans le sens du poil.

14 h 30 Je me fiche de ce qui peut arriver. En ce qui me concerne, je n'irai pas en Nouvelle-Zélande. Un point, c'est tout. Soit on me porte jusqu'à l'avion, soit on me bourre de sédatifs pour éléphants.
Je n'irai pas au Pays-du-Kiwi-en-Folie. Terminé.

15 h 00 Je ne parle plus à maman mais comme elle est (encore) sortie faire des courses, elle n'a probablement rien remarqué.

15 h 19 Je suis assise à côté du téléphone et j'essaie de le faire sonner par le truchement de la télépathie. J'ai lu plein de trucs là-dessus. La télépathie, c'est quand on utilise sa volonté pour faire arriver les choses qu'on veut. Donc, je parle au téléphone dans ma tête et je lui dis : « Sonne, téléphone ! Quand j'aurai compté jusqu'à dix, tu sonneras et ce sera Robbie. »

15 h 21 « Bon d'accord. Jusqu'à cent... »

15 h 30 « ... en français. Quand j'aurai compté jusqu'à cent en français, tu sonneras et ce sera Super-Canon. » (Je suppute que Dieu ou le type responsable au rayon volonté sera sensible au fait que je fais un méga effort en comptant dans une langue étrangère.)
La situation est total désespérée. Dans deux jours, je serai de l'autre côté de la planète et S-C toujours de ce côté-ci. En plus, je serai en avance d'un jour par rapport à lui et, pour couronner le tout, j'aurai la tête en bas.

15h39 À force, j'ai un mal de tête épouvantable. Tiens, à propos de français, peut-on m'expliquer pourquoi notre prof, Mme Slack, a cru bon de nous faire apprendre une chanson qui s'appelle : *Mon merle a perdu une plume* ? Tu parles d'un bonus si je vais à Paris ! Acheter un sandwich relèvera de la mission impossible. Mais follement pratique, je pourrai discuter avec *le Française* des plumes de mon merle. Même si je n'ai pas de merle. En tout cas, si j'en avais un, ce n'est pas une plume qu'il aurait perdu avec Angus mais la totalité. Mais mon minou n'est plus là.

Il me manque déjà. C'est le meilleur chat du monde. Je revois sa grosse tête velue fourrager pour se blottir dans mon lit avec des bouts de plumes qui lui sortent de sa bouche. Avec lui, j'avais toujours droit à des petits cadeaux : une souris, un bout d'oreille de caniche ou tout autre attention touchante du même acabit.

15h41 Comment dit-on en français : « Mon merle s'est fait becqueter les pattes par mon chat » ? *Ma zoziau noire a perdu le cuisse ?*

Coup de téléphone

15h45 Il était temps. Un peu plus et je me voyais compter en allemand. Difficile d'imposer ça à quiconque (surtout que j'en suis incapable).

– C'est moi, Jas.

– Ah, oui et qu'est-ce que TU veux ?

– J'appelle juste pour savoir comment tu vas ?

– Je vais très bien. Je suis morte. Pour ne rien te cacher, j'ai passé l'arme à gauche il y a quelques heures. Salut.

Ça lui apprendra. Et elle va voir ce qu'elle va voir. Je ne répondrai même pas si elle rappelle.

34

17 h 00 Elle n'a pas rappelé. Du Jas tout craché.

Dans ma chambre
Au lit

22 h 30 Quand elles ont fini par rentrer, maman et Libby ont glissé une tête dans l'entrebâillement de la porte. J'ai fait celle qui dormait mais Libby s'est avancée vers moi à pas de loup. Enfin, c'est une conception très personnelle du pas de loup car je n'ai jamais rien entendu d'aussi bruyant.

Maman a chuchoté :

– Libbs, donne un baiser à ta grande sœur, elle a du chagrin.

Deux secondes après, je sentais un truc humide me suçoter le bout du nez. Je me suis redressée d'un bond.

– Y a-t-il quelqu'un d'autre sur cette terre qui ait une sœur spécialiste du bécot suçoteur ? Qu'est-ce qu'elle a avec mon nez à la fin ?

23 h 15 Cette histoire de suçotage m'a carrément réveillée. Alors, pour passer le temps, je contemple la nuit par la fenêtre de ma chambre. N'empêche, quand on regarde les étoiles, on se sent méga lilliputien. On a fait l'infini en sciences nat au collège. À ce qui paraît l'univers n'aurait pas de fin. Notre prof, Herr Kamyer, prétend qu'il pourrait même y avoir un univers parallèle au nôtre ailleurs. Si ça se trouve, il existe une autre Georgia Nicolson en train de réfléchir dans sa chambre. Non mais ça rime à quoi ?

23 h 17 Une autre Georgia Nicolson obligée de quitter un Super-Canon et toutes ses copines (dont Jas ne fait pas partie) pour aller de l'autre côté de la terre. Double *merde*.

35

23h29 Je viens d'avoir une pensée terrifiante. En admettant tout le bazar du monde parallèle et de l'existence d'une autre Georgia, cela signifie forcément qu'il y a une autre Lindsay la Nouillasse, une autre abjecte Pamela Green et donc deux shorts géants du Père Porte-à-Côté. C'est bien ma veine.

Jeudi 22 juillet

Veille de la fin de ma vie
Grève de la faim

14h00 Alors qu'il est clair pour tout le monde, même pour les PLUS bouchés, que je refuse de m'alimenter, maman semble n'avoir rien remarqué.
– Georgie chérie, je te sers des chips ?
– Mutti, j'ai décidé de ne plus manger.
Tout ce qu'elle a trouvé à dire, c'est « parfait » et elles ont continué à s'empiffrer avec Libbs.
Dès qu'elles sont sorties de table, je me suis faufilée à la cuisine pour finir les chips.

16h00 Dans ma chambre, en train de m'entraîner à me sentir atrocement seule et sans copines en prévision des mois à venir.

16h05 Je n'ai pas de nouvelles de mes prétendues amies depuis des lustres. Bon d'accord, depuis ce matin. De toute façon, je n'ai pas besoin de m'entraîner, je suis effectivement atrocement seule et sans copines.

16h10 Je suis descendue au salon regarder la télé. Libby faisait la sieste sur le canapé. Forcément quand je me suis assise, ça l'a réveillée. Alors, la loupiote s'est campée sur ses petites pattes grassouillettes et elle m'a jeté ses bras autour du cou.

– J'aime ma Georgie, j'aime ma Georginette.

La déclaration d'amour s'est très vite transformée en chanson :

« Haha, j'aime ma Georginette-nette-nette, Georgeminette-nette-nette, Minounette, Hahahahahaha. Minounette, j'aime ma Minounette. »

Dans son embryon de cerveau, je suis un hybride de chat et de sœur. J'ai pris ma Libby dans mes bras et on a roulé sur le sofa. Au moins, il y avait quelqu'un qui m'aimait dans cette famille, même si c'était l'élément le plus givré.

Maman est entrée au milieu de nos cabrioles.

– Comme vous êtes mignonnes toutes les deux. J'ai l'impression que c'était hier, ma Georgia, que tu étais petite comme ça. Quand on te promenait au parc avec ton papa, tu avais un bonnet avec des oreillettes en pattes de chat. Tu étais adorable comme petite fille.

Tous aux abris ! La voilà qui remet ça. Dans cinq secondes, je vais avoir droit à « Comment se fait-il que ma toute petite fille ait pu devenir aussi grande… ? »

Comme prévu, maman a commencé à avoir l'œil humide et elle s'est mise à me caresser les cheveux (très agaçant comme affaire), et elle a embrayé sur l'habituel « Comment se fait-il que ma… » quand heureusement (ou malheureusement, selon l'endroit où on se trouve), Libby a lâché le pet le plus nauséabond et le plus violent jamais répertorié dans toute l'histoire des pets. L'explosion est sortie de son minuscule derrière avec une telle force qu'elle a littéralement décollé de mes genoux, style hovercraft. Même elle a été surprise.

J'ai repoussé la puanteur des deux mains et je me suis levée d'un bond.

– Libby, c'est dégoûtant!!! Et c'est ta faute, maman

Non mais tu as vu ce qu'elle mange comme haricots! C'est pas normal à la fin qu'il sorte autant de trucs d'un machin aussi petit.

Pouah!

Une fois, il y a longtemps, j'étais dans la rue avec grand-père et il a fait un pet à plus d'un million de décibels. Quand il a regardé derrière lui, il s'est aperçu qu'il y avait une dame qui promenait son teckel (ou saucisse à pattes). La dame avait entendu le pet de grand-père (qui ne l'avait pas entendu) et elle lui a fait:

– Non, mais vraiment!!!!

Et grand-père lui a répondu:

– Je suis terriblement confus, madame. Il semblerait que j'ai soufflé les pattes de votre chien.

Ce qui est probablement la dernière chose à peu près sensée qu'il ait dite. Je préférerais encore vivre avec lui plutôt que d'aller au Pays-du-Kiwi-en-Folie.

D'où proposition à Mutti.

– Qu'est-ce que tu dirais si j'allais vivre avec grand-père?

– Georgie, grand-père est dans une maison de retraite.

– Et alors?

Ma mère est tellement frappée qu'elle n'a même pas pris la peine de pousser la discussion plus loin.

23 h 30 Toutes les copines sont venues sous ma fenêtre avec une bougie allumée. Il y avait même Sven avec un chapeau en papier sur la tête. Je me demande bien pourquoi. Qu'est-ce que ça peut faire après tout? C'était sûrement sa façon suédoise de me dire au revoir. Ils ont chanté *Mon merle a perdu une plume* en mon honneur. Enfin, ils ont juste eu le temps de chanter les premières paroles parce que les Porte-à-Côté sont venus se plaindre que le bruit faisait peur à leurs caniches. Alors, Jas a déclaré:

– Je vais rester ici toute la nuit en silence.

Mais quand Sven a fait : « Et maintenant, chips », ils sont tous partis.

Dieu que c'était triste !

Le jour de la fin du monde

midi Ai décidé de me faire sortir du lit par la police pour que le monde entier sache comment je suis traitée. Me suis attachée au bois de lit avec mes manches de robe de chambre. Je vois d'ici les gros titres : *Une jeune star du hockey au talent prometteur refuse d'être embarquée de force au Pays-du-Kiwi-en-Folie.* Me suis un peu maquillée, au cas où il y aurait des photographes.

12 h 10 Maman m'a interrompue en faisant irruption dans ma chambre, rouge comme une écrevisse qui aurait mis du blush.

– Georgie, devine !!!! On ne part plus en Nouvelle-Zélande. Ton papa rentre !!!

– Quoi ? De quoi ?

Mutti me serrait dans ses bras comme une folle sans même se rendre compte que j'avais la rigidité du hamster tétanisé.

Totalement abasourdie, j'étais.

– Vati, maison, rentrer ?

13 h 00 Super nouvelle de chez nouvelle !!!! Mon père s'est fait exploser les chaussures par un raz de marée farceur !!!! Un jet de vapeur brûlante est sorti comme une fusée d'un truc qu'il était en train de réparer, il a glissé et il s'est cassé le pied. Du coup, maman a freiné des quatre fers d'une seule main et elle a dit tout de go à papa qu'il n'était pas question qu'elle emmène ses enfants dans un pays où des jets de vapeur brûlante sortent du sol.

Elle m'a fait :

– C'est déjà assez difficile comme ça de te tirer du lit, je ne vais pas te fournir d'excuses supplémentaires.

Ce qui était incroyablement injuste mais j'ai fait la carpe parce que dans ma tête je hurlais : « Yes ! ! ! ! ! ! ! ! »

Le seul os dans le potage, c'est que Vati rentrera dès la fin de son contrat. N'empêche, si j'avais à choisir entre aller au Pays-du-Kiwi-en-Folie et avoir Vati sur les bretelles à fureter dans ma chambre en me racontant comment c'était dans les années soixante-dix, je crois que j'opterais pour le moustachoïde irascible.

Mutti est abominablement heureuse. Elle n'arrête pas de me serrer contre son cœur. Comme hypocrite, elle détient la palme. Je suis restée remarquablement coite sur le sujet, me contentant de la serrer à mon tour en lui glissant subrepticement à l'oreille qu'elle pourrait me filer cinq livres. Ce qu'elle a fait. Yessssss ! ! ! !

Quelle magnifique journée d'été anglais ! Ravissante, ravissante bruine ! ! ! On ne part plus au Pays-du-Kiwi-en-Folie ! ! ! !

Merci, Dieu. Rassurez-Vous, il n'a jamais été question que je devienne bouddhiste. C'était pour rire.

15 h 00 Mis la musique à fond dans ma chambre et me suis empressée de défaire ma valise. Lalalalalalala…… La vie est mêêêêêêêêêêêêêêrrrrrr-veilleuse. Cool et mêêêêêêêêêêêêêêrrrrrrveilleuse !

Oncle Eddie est arrivé avec une bouteille de champagne dans une main et le panier d'Angus dans l'autre. Il lui avait mis une muselière. Non mais vous avez déjà vu une mauviette pareille ! Le monstre s'est débarrassé de la muselière d'un bon coup de canines et il est parti faire le tour de ses propriétés (les poubelles). Quand je suis entrée dans le salon, oncle Eddie dansait avec Libby accrochée à son cou. Elle lui chantait une petite chanson de son cru : *Oncle Radis. Oncle Radis.* Ce qui, quand on y réfléchit bien, est assez amusant.

16 h 20 Ma petite chambre chérie. Je t'aime, ma petite chambre. Lalalalalalalalala. Mer-mer-mer-mêêêêêêêêêêêêêêrrrrrrrveilleuse. Vous êtes tous merveilleux : toi mon petit poster de Benny Hill en caleçon, toi mon petit bureau, toi mon petit lit... toi ma petite fenêtre par laquelle j'espionne ce qui se passe dans le jardin d'à côté.

17 h 00 Coup de fil au Top Gang et totale folie chez les copines. Je venais à peine de raccrocher qu'on sonnait à la porte. C'était le Père Porte-à-Côté avec les lunettes en bataille. Vous croyez qu'il m'aurait dit : « Trop content que tu ne sois pas partie, Georgia » ? Pensez donc. Il n'a rien dit du tout, il m'a tendu un balai et il est reparti avec la grâce aérienne d'un hippopotame.

Au bout du balai, il y avait Angus furieusement accroché aux poils. Le monstre a traîné sa nouvelle proie jusqu'à la cuisine en renversant un nombre considérable de chaises, de casseroles et de verres sur son passage. J'ai crié à ma petite sœur :

– Libbs, Libbs, Angus est rentré !

23 h 00 Petit coup d'œil à la cuisine avant de monter me coucher. Libby est en train de nourrir le monstre à la main. Aaaahhh, voilà qui est mieux ! ! ! Retour à la normale.

11 h 00 C'est l'été. Les oiseaux gazouillent, les souris sourissent, les caniches canichent. Je viens de m'apercevoir qu'on a des nouveaux voisins de l'autre côté de la rue. J'espère qu'ils sont un peu plus sympas que leurs prédécesseurs, M. et Mme Foldingue.

Dément, ils ont un chat ! Sauf erreur, ce serait le style birman avec pedigree à rallonge. Il est en train de s'ébattre follement dans un coin du jardin méchamment clôturé. Très chères, ces bestioles-là. Le birman, c'est la Naomi Campbell du chat. Évidemment, on ne les voit pas trop sur les podiums, trop velus et trop courts sur pattes pour défiler. Et pourtant, les birmans sont très chat-nel !!!!!!!! Hahahahahahaha. Lalalalala. Je suis un génie comique. Si seulement Super-Canon se décidait à téléphoner et qu'il me disait : « J'arrive à l'instant, ma divine. Je n'avais pas réalisé à quel point j'étais aussi près de te perdre. Je suis fasciné par ta sublimitude. »

La vie serait plus top que top. Elle serait supra mêêêêêêêêêêêêêêêêrrrrrrveilleuse.

midi Ai retrouvé Jas devant chez elle et on est allées faire un tour au parc. J'ai un bouton sur le menton mais je l'ai très habilement déguisé en grain de beauté à l'aide d'une petite touche de crayon à sourcils. Ça plus les lunettes de soleil, je fais assez italienne. Je suis sûre que Jas est méga gênée de m'avoir dit ce qu'elle m'a dit, maintenant que je ne pars plus en Nouvelle-Zélande. Mais, comme j'ai beaucoup de tact, je n'ai fait aucune allusion à sa déclaration enflammée. Je lui ai juste sorti :

– Dis, Jas, c'est vrai que tu m'aimes ?

Et là, je ne vous raconte pas le fard.

Près des courts de tennis, on a vu Melanie Andrews en train de se faire bronzer. Je ne sais plus au juste si je vous

en ai parlé, mais Melanie Andrews a la plus grosse paire de seins de toutes les paires de seins du monde. Deux types sont passés en poussant force sifflements suggestifs. Il y en a même un qui a fait mine de jongler avec deux balles. Parfois, je me dis que les garçons resteront toujours un mystère pour moi. Surtout depuis le jour où Grosse-Bouche a posé sa main sur mon sein droit sans raison apparente. Mel a vu qu'on la regardait, alors je lui ai fait :
– Salut, Mel.
Et j'étais méga sincère.
Alors, elle m'a fait :
– Salut !
Mais je ne crois pas qu'elle le pensait vraiment.
Je me suis tournée vers Jas.
– À ton avis, où est-ce qu'elle peut bien dégoter ses soutifs ? Tu sais ce que je pense ? Je suis pratiquement sûre que ce sont les types qui ont construit le pont de Tancarville qui lui fabriquent ses armatures. Tu vois qui je veux dire, Georges et Robert Tancarville.
Les prénoms, je viens juste de les inventer. Pour ne rien vous cacher, je ne les connais pas.
On s'est allongées sur l'herbe pour bronzer et Jas m'a fait :
– Dis, tu crois que je devrais mettre un soutif ?
Alors qu'au même moment, j'étais en train de me demander ce que j'allais bien pouvoir me mettre le jour où je reverrais Robbie.
D'où :
– Tu sais quoi ? Robbie m'a toujours pas rappelée.
Sentant qu'il n'y avait pas de réaction, j'ai jeté un œil pour vérifier ce qui se tramait côté copine. Et là qu'est-ce que je vois ? Jas en train de se contorsionner dans tous les sens.
– Nom d'une petite culotte, qu'est-ce que tu es en train de fabriquer ?
– J'essaie de voir si mes seins gigotent.
Jas peut être remarquablement bas de plafond quand

43

elle s'y met. Je pense que si j'enfilais son uniforme scolaire à Angus, personne ne ferait la différence avant des mois, à moins bien sûr que quelqu'un ne se hasarde à lui soutirer son quatre-heures.

– Tu n'as qu'à faire le test du crayon pour savoir. Je t'explique. Tu glisses un crayon sous un sein et si le crayon tombe, c'est que tu n'as pas besoin de suspension. Maintenant si le crayon reste coincé sous le sein, là tu sais qu'il faut investir d'urgence dans un soutif.

Jas était tout ouïe.

– C'est vrai ?

– Comme je te le dis. Ma mère, c'est pas de bol, elle peut se fourrer toute une trousse sous un flotteur si elle veut.

Jas farfouillait dans son sac à dos.

– Je crois que j'ai un crayon là-dedans. Je vais essayer.

– Dis, Jas, Tom t'a rien dit à propos de Robbie, par hasard ?

Mais comme d'habitude, elle était repartie dans une région de son pauvre cerveau inaccessible au commun des mortels et elle fourrageait sous son T-shirt avec son crayon.

– Hahahahahahha. Il est tombé !!!!! J'ai réussi. J'ai réussi. À toi maintenant.

Pas du tout envie, mais alors pas du tout.

– À ton avis, tu crois que Super-Canon m'aurait embrassée et qu'il m'aurait dit « à plus » s'il ne le pensait pas vraiment ? Tu crois que ça l'embête que je sois plus jeune que lui ? Ou est-ce que tu penses que c'est mon nez qui le turlupine ?

Autant parler à un canard. Jas était en train de me fourrer le crayon dans les mains.

– Allez vas-y, vas-y… T'as peur ou quoi ?

– Mais non. Comment veux-tu que j'aie peur d'un crayon ?

– Ben, qu'est-ce que t'attends, alors ?

– Pour l'amour du ciel, Jas !

J'ai attrapé le crayon, j'ai remonté mon haut et j'ai

glissé le truc sous mon sein droit... où il est resté scotché.
Hop ! une légère secousse et l'affaire était dans le sac.
  – Voilà, il est tombé. Tu es contente ?
  – Tu as bougé.
  – Non, j'ai pas bougé.
  – Si, tu as bougé, je t'ai vue.
  – Je te dis que non. Tu es total bouchée ou quoi ?
  – Tu mens comme tu respires. Attends, laisse-moi faire.
Je vais te montrer.
  Et la voilà qui prend le crayon et qui essaie de me le
fourrer sous le sein juste au moment où Jackie et Alison,
les sœurs Craignos, arrivaient des courts de tennis. Jackie a
retiré la clope qu'elle avait vissée au bec pour nous sortir :
  – Alors, les goudous, on se fait un après-midi câlin ?
  Oh, non ! Ne me dites pas que les rumeurs sur mon
homosexualité vont reprendre. Mieux vaut s'attendre au
pire à la rentrée.

Lundi 26 juillet

14 h 00   Oh la la la ! Il fait une chaleur de bête ! Le soleil
brille. Les zoziaux gazouillent. M. et Mme
Porte-à-Côté sont dans leur jardin en short... et encore !
En ce qui concerne la version mâle des Porte-à-Côté, on
atteint des dimensions colossales, côté popotin. On pourrait penser que, par égard pour la sensibilité d'autrui, le
Père Porte-à-Côté éviterait de s'exhiber en public dans
cette tenue. Et qu'est-ce qui arriverait si quelqu'un de très
très vieux (je veux dire d'encore plus vieux que lui) passait
par là et n'était pas en top condition physique ? Je vais vous
le dire, moi, ce qui se passerait. La vue du short du Père
Porte-à-Côté pourrait provoquer chez le tricentenaire une
convulsion fatale. Tiens, voilà encore un autre exemple de
l'égoïsteté sans fond (de culotte, hahahaha !) des prétendus
adultes.

45

16 h 50 Journée fabuleuse… Je plaisante. Grand-père est venu prendre le thé avec nous. Il était également en short. J'ai dit à Mutti :

– Non, mais franchement. Il pourrait peut-être nous épargner, non ?

Grand-père a les jambes tellement arquées qu'Angus pourrait facilement passer entre avec un bâton sans qu'il s'en aperçoive. De toute façon il ne risque pas de s'apercevoir de grand-chose vu qu'il habite dans le barjo-land des très très vieux. Après avoir farfouillé pendant douze heures quinze dans les poches de son short d'avant la Première Guerre mondiale, il m'a tendu une pièce de vingt pence en me faisant :

– Ne dépense pas tout d'un coup, ma poulette.

Ce qui l'a beaucoup fait rire. Tellement d'ailleurs que son dentier a giclé sauvagement hors de sa bouche. Après quoi, il a sifflé comme un vieux soufflet de forge pendant onze ans si bien que je me suis dit qu'il allait finir par s'étouffer et qu'il faudrait que je me fende de la passe de Heimlich. C'est Mlle Stamp (*Fraulein Kommandant,* prof de gym) qui nous a appris la passe de Heimlich en secourisme. J'explique. Une supposition que quelqu'un s'étouffe avec un bonbon ou un autre truc, tout ce que vous devez faire, c'est l'attraper par-derrière et lui mettre les bras autour du corps juste sous le sternum. Après quoi, vous serrez comme des malades et hop ! le gars qui s'étouffe recrache le bonbon ou le truc. À ce qu'il paraît, ce serait un Allemand du nom de Heimlich qui aurait inventé ça. Pourquoi est-ce que les Allemands se croient obligés de se jeter par-derrière sur des innocents en train de s'étouffer avec un bonbon, je n'en sais rien. Ce qu'il y a de sûr, c'est qu'ils le font et c'est là tout le mystère du peuple allemand.

20 h 00 Eh ben voilà, pas de coup de fil de Super-Canon. À l'heure qu'il est, il est sûrement rentré. Pas question que je l'appelle. J'ai ma fierté quand même. En fait, c'est déjà fait. J'ai appelé chez lui mais personne n'a répondu et je n'ai pas laissé de message. Je ne comprends rien aux garçons. Comment peut-on rouler une pelle de niveau six à une fille et ne pas la rappeler ensuite ?

20 h 10 La seule issue est le bouddhisme. Méditation et relaxation. Voilà les maîtres mots.

Dans ma chambre

20 h 20 J'ai mis la main sur un vieux caftan que maman avait acheté en Inde du temps où elle était baba cool. Il existe quelque part dans la maison des photos confondantes de papa et elle avec des coupes de douilles à pleurer (de rire). Il y en a une où Vati porte un truc qui ressemble à une couche géante. En général, Mutti sort les photos quand elle a un petit coup dans le nez et immanquablement si je la supplie de ne pas le faire.

J'ai enfilé le caftan et j'ai mis une cassette spéciale méditation avec cris de dauphins. La cassette s'appelle *Paix sur l'univers*. Crouic, crouic, crouic font les dauphins. Crouic, crouic, crouic, puis une pause, puis re-crouic, crouic, crouic. Non mais si les dauphins sont aussi intelligents qu'on le dit, ils n'ont qu'à parler normalement au lieu de faire crouic crouic crouic. C'est prodigieusement agaçant à la fin. J'arrêterais bien la cassette mais je suis trop déprimée pour sortir du lit.

20 h 40 Téléphone. Comme de bien entendu, tout le monde est trop occupé pour répondre. Donc, qui qui s'y colle ? Bibi.

En descendant, j'ai hurlé à maman :

47

– T'en fais donc pas, Mutti. Je me tape les huit bornes jusqu'au téléphone pour répondre à ce coup de fil qui t'est probablement destiné. Je ne voudrais surtout pas que tu te fatigues.

Du salon, elle m'a fait :

– OK, merci, ma chérie.

J'ai décroché.

– Allô ?

C'était Robbie ! ! ! ! ! ! Yes et triple *fabuloso* ! ! ! ! Il a une voix à mourir. Style assez grave, mais pas autant que celle de grand-père. Faut dire aussi que Super-Canon ne fume pas quarante cigarettes à la seconde. Il m'a dit qu'il s'était absenté.

Dans ma tête, je me disais : « Mais oui, je le sais que tu t'es absenté, oh toi, sexy d'entre les sexy ! ! ! Si seulement tu savais, j'ai une crampe des lèvres à force de les empêcher d'avancer ! » Mais à la place, je lui ai sorti ·

– Ah, bon ?

Ce qui m'a semblé particulièrement dégagé et séduisant à la fois. Bref, pour résumer, il est atrocement content que je ne sois pas partie au Pays-du-Kiwi-en-Folie et il m'a invitée à venir le voir demain ! ! ! ! Ses parents ne sont pas là.

Ooooooooooooooohhhhhhhhhhhhh ! Voilà que j'ai les nerfs en pelote à présent. Je me sens comme « une chatte sur un toit brûlant ». On a joué la pièce l'an dernier en classe d'anglais et je peux vous dire qu'il n'y a pas le moindre chat là-dedans… Pas de toit brûlant non plus que je sache… Oh cerveau, arrête ça tout de suite ! Arrête !

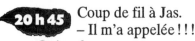 Coup de fil à Jas.
20 h 45

– Il m'a appelée ! ! !

– Qui ça ?

Non mais autant parler à une chaussette à ce compte-là.

– Percute, Jas ! IL m'a appelée. IL, le seul et unique IL de tout l'univers.

Jas est passée pour qu'on discute de ce que je devais mettre pour mes retrouvailles avec Robbie. On est montées dans ma chambre et j'ai oublié de la prévenir que Libby avait fabriqué un hamac à ses poupées dans un des soutifs géants de Mutti... et qu'elle l'avait suspendu en travers de la dernière marche. Trop bête. Jas s'est gravement écorché le mollet en tombant et elle s'est mise à couiner de douleur. Sa souffrance m'a laissée de marbre. Ce n'était pas du tout le moment de m'importuner avec des bobos.

Dès que Jas a eu fini de boitiller jusqu'à mon lit, on s'est penchées sur le contenu de mon armoire. Je sortais les tenues une à une et Jas faisait les commentaires : « Non. Non. Peut-être. Non, trop flashy. Non, non... euh... peut-être. »

J'étais en train d'essayer une mini en daim quand elle s'est mise à pousser des cris d'orfraie :

– T'as le devant des jambes super velu et le derrière complètement chauve !

Vérification immédiate. Elle avait raison ! ! ! ! L'heure de l'opération jambes de soie avait sonné. Direction la salle de bains.

Moi :

– Non, mais on se demande le pourquoi de l'évolution ? Tu peux me dire l'intérêt de nous filer des mollets méga velus d'un côté et méga chauves de l'autre ? Je vois vraiment pas en quoi une demi-pilosité a pu être utile à l'homme pour sa survie.

– C'était peut-être pour effrayer les ennemis.

– Mais bien sûr, suis-je bête. Je la vois comme si j'y étais, la fille de l'âge de pierre. Elle se dit comme ça : « Tiens, voilà un gros dinosaure qui vient m'attaquer par-derrière et qui pense qu'il va me becqueter en moins de deux sous prétexte que j'ai des mollets extra chauves. Mais moi, pas bête, je vais me retourner et lui foutre la trouille de sa vie en lui flanquant sous le nez ma pilosité terrifiante. Et là le gros ballot va s'enfuir sans demander son reste. » T'as raison, c'est sûrement l'explication.

Jas n'écoutait pas ma brillante démonstration scientifique, trop occupée par l'inventaire de l'armoire de salle de bains.

– Ben dis donc, ta mère lésine pas sur la crème anti-âge.

– Je sais. C'est pathétique. Elle ferait mieux de garder son argent pour s'acheter une nouvelle paire de lunettes ou un chapeau ? Ou beaucoup plus utile un soutif digne de ce nom. Un machin capable de contenir ses flotteurs surdimensionnés.

21 h 30 La crème dépilatoire de Mutti a marché au poil (hahaha) : j'ai le mollet hypra doux. À un moment, j'ai bien failli craquer et m'en mettre sur les sourcils mais heureusement, je me suis souvenue à temps de l'épisode rasage et du délai de repousse : deux semaines.

Question tenue, on s'est décidées pour un haut à col cheminée (qui signifie en clair que je suis méga mûre pour mon âge, au seuil de la féminité, etc. mais quand même pas au point de révéler que je me roulerais par terre pour avoir un bécot). Au rayon bas, on a opté pour un pantalon ultra serré.

On en avait fini quand Jas m'a sorti :

– Au fait, Tom fait un stage le trimestre prochain. Il sera absent pendant plusieurs semaines. Oh, la la la ! qu'est-ce qu'il va me manquer. Tu sais quoi, l'autre jour, il m'a fait comme ça…

Je l'ai arrêtée gentiment.

– Écoute, Jas, il faudrait que tu rentres là maintenant. Parce que tu vois, moi faut que je passe à la phase sommeil réparateur.

23 h 00 Dans mon petit lit super tôt. J'ai barricadé ma porte pour empêcher Libby et Angus d'entrer.

minuit Je suis dans un ÉTAT ! Et si jamais j'avais
oublié comment on embrasse ? Et si au dernier
moment, les leçons de bécots m'étaient sorties de la tête et
qu'il y ait bris de canines ?

1h00 Et si je perdais complètement les pédales et
que je penchais du même côté que lui au lieu de
pencher de l'autre et que, du coup, je l'assomme avec la
tête ? Au secours !!!!!!
Et si jamais j'avais un fou rire, catégorie convulsif ?
Vous voyez ce que je veux dire, style vous vous rappelez un
truc drôle... par exemple comme quand Herr Kamyer nous
avait emmenées en voyage organisé et qu'en arrivant à la
gare il avait ouvert la porte du train du mauvais côté et
qu'il était tombé sur la voie.
Hahahahahahaha ! Hahahahahahaha ! Vous avez pigé
le concept. Voilà, c'est ce qui m'arrive là maintenant, à rire
comme une bossue au beau milieu de la nuit toute seule au
fond de mon lit.
Ohnonohnonohnonohnonohnon ! Hahahahahaha.

Mardi 27 juillet

Jour du Super-Canon

19h00 En route pour sa maison.
Ça m'a pris pratiquement la journée pour me
faire un look hypra naturel. Et ça avec à peine un soupçon de
maquillage pour rehausser ma beauté naturelle (!). Je vou·
lais absolument que ça fasse la fille « tout juste tombée du
lit », alors j'ai commencé par un peu d'anti cernes, puis une
couche de fond de teint, deux d'autobronzant, du crayon à
yeux, huit couches de mascara, du crayon à lèvres, du rouge
à lèvres et pour finir du brillant, c'est tout. Rien d'autre.

51

19h20 Jas m'a téléphoné pour me souhaiter bonne chance.

– Appelle-moi dès que tu rentres et n'oublie surtout pas le niveau des bécots. Au fait, tu as mis un soutif ou pas ? Si j'étais toi, j'en mettrais un pour éviter d'avoir des trucs qui gigotent dans tous les sens.

– Salut, Jas.

Je n'ai pas mis de soutif. J'avais envie de la jouer libre et sauvage. Je ferai juste attention à ne pas faire de mouvements brusques.

Dans la rue

19h30 Brrrr ! Fait pas aussi chaud et aussi clair que tout à l'heure. C'est même franchement couvert si vous voulez mon avis. Et... oh non... il commence à pleuvoir ! Maintenant, je suis trop loin pour aller retourner chercher un pébroc. Mais je sais que ce n'est pas la peine car de toute façon, dans cinq secondes, ce sera fini.

19h40 Devant chez Robbie. Il pleut des hallebardes. Je suis trempée jusqu'aux os et total gelée. Je parie que mon pantalon a rétréci. Il m'emprisonne carrément le cucul. Je me demande quelle bobine j'ai.

Je vais aller vérifier ça dans la cabine d'en face avec mon miroir de sac.

Dans la cabine

19h45 Mon pantalon a tellement rétréci que je ne peux même plus plier les genoux. Bon, je vois, c'est foutu. Brrrr ! Mais enfin, pourquoi tout part en niquedouille ? Pas question que je me présente devant Super-Canon dans cet état lamentable. Je vais l'appeler et lui dire que je suis malade.

19 h 50 Super-Canon au bout du fil.
– Allô?
Oh, la voix! j'avais oublié.
– Robbie, c'est Beorbia.
– Tu as l'air toute bizarre.
– J'ai un rubhe énorbe. Chu couchée.
– Ah bon. Depuis quand il y a des lits dans les cabines téléphoniques?
– Chai pas.
– Georgia, je te vois d'ici.
J'ai regardé vers sa maison et je l'ai vu qui agitait la main derrière la vitre. Ohnononononon!!!
– Allez, viens.
Qu'est-ce que je peux faire? Dieu, aidez-moi! Mon haut est tout mouillé et il y a deux protubérances à l'intérieur. Génial! Ça me fait comme deux petits pois sur le devant du corps. C'est ma mère tout crachée, ça. Pour une fois qu'elle me repasse quelque chose, elle n'est pas fichue de le faire correctement.

Tout en marchant vers la maison de Robbie, j'essaie d'aplatir les deux trucs qui pointent sur mon haut. Mais horreur, malheur! Ce n'est pas le tissu qui pointe... c'est MOI!!!!! Mes bouts de seins en l'occurrence!!!! Mais qu'est-ce qui leur prend à la fin!!!!! Que signifie cette manifestation d'indépendance désastreuse? Je n'ai rien demandé, moi. Comment je les fais rentrer maintenant? Tout ce que j'ai comme solution, c'est de croiser les bras en prenant un air totalement naturel et en espérant à mort que Robbie ne m'offre pas de café.

19 h 55 La porte de la maison s est ouverte et il est apparu devant moi! Super-Canon était descendu sur terre. Et me revoilà atrocement liquéfiée façon poulpe. Il est trop craquant et trop miam-miam, snack snack et re-miam, super fondant. Le cheveu légèrement

53

tombant, le jean noir, un T-shirt blanc mettant avantageusement en valeur ses deux épaules sublimes (une de chaque côté). Il a des yeux trop bleus et des longs cils noirs et une super belle bouche, et puis il a cet air follement doux. Pas tendance fille, lui, ce serait plutôt le type garçon-garçon comme genre, ce que je trouve plutôt finaud quand on est un garçon.

minuit Je l'aime. Je l'aime. Je t'aime, Robbie, oh oui je t'aime ! Quand je suis loin de toi, je me noie... Qu'est-ce qui rimerait avec Robbie ? Chéri ? Baby ? Mari ? Caddie ?

0 h 30 Je n'arrive pas à dormir. La vie est trop géniale. Si ça se trouve, je ne dormirai plus jamais.

Oh, la soirée de rêve ! Ça a commencé par une méga discussion dont compte rendu :

Moi :

– Mon père s'est fait exploser les chaussures par un raz de marée farceur.

Lui :

– Est-ce qu'il t'arrive parfois des choses normales ?

Moi, j'ai pris ça pour un compliment.

Ensuite, Super-Canon m'a joué une chanson à la guitare. Je ne savais pas trop ce qu'il convenait de faire en pareille circonstance. Dans le doute, je me suis assise à côté de lui sur le canapé en affichant une ébauche de sourire assez avantageux (et bien sûr, avec les bras croisés). Pour être honnête, la chanson était un rien longuette et arrivée à la fin, j'avais un mal de joues de chien. Vous allez voir que je me suis froissé le muscle maxillaire avec cette histoire. Le tout en essayant discrètement de maintenir mon nez à l'intérieur de ma figure. Ce n'était pas le moment qu'il aille gambader d'une joue à l'autre.

Dans la conversation, Super-Canon m'a annoncé qu'il

avait l'intention de faire une fac de musique pour devenir musicien professionnel et moi qu'est-ce que j'ai dit, à votre avis ?

– Ben, moi, plus tard, je serai véto. Ne me demandez surtout pas pourquoi. Je n'en sais rien d'autant que je n'ai pas la plus petite intention de devenir vétérinaire. C'était comme si ma bouche avait été déconnectée de mon cerveau et qu'elle prenait des initiatives personnelles. Après cette sortie magnifique, Super-Canon n'a plus rien dit et il m'a regardée dans les yeux et moi j'ai fait pareil, en essayant de ne pas ciller. Il me semble que le truc des yeux dans les yeux a duré un bon million d'années. Du coup, j'ai fini par avoir une sorte de spasme nerveux et j'ai détourné le regard vers une photo de chien posée sur la table. Il a dû penser que j'étais obsédée par les animaux vu que j'étais apprentie véto (erreur).

Étape suivante, il a mis son bras autour de mes épaules. Et là, j'ai été prise d'une envie irrépressible de faire un numéro de danse cosaque, juste pour la marrade. Mais je me suis rappelé à temps que les garçons ne pensent pas que les filles sont faites pour être drôles. Et enfin bouquet final, il m'a embrassée. Je le déclare solennellement : Robbie est le garçon qui embrasse le mieux au monde. Il faut reconnaître que je n'ai eu que deux autres expériences dans ce domaine et que, en ce qui concerne la première, le garçon se rapprochait plus du bulot que du mammifère mâle. Donc, je ne peux pas être formelle à cent pour cent. Super-Canon m'a fait le truc de la pression des lèvres que seuls les garçons étrangers savent faire d'après Rosie. Vous voyez ce que je veux dire : un coup doucement, un coup fort et puis un autre entre deux et puis à nouveau fort et ainsi de suite. Vous pigez ? J'aurais pu l'embrasser jusqu'à plus soif. Et quand plus soif se serait pointé, j'aurais hurlé : « NON MAIS TU POUVAIS PAS RESTER OÙ TU ÉTAIS ? TU VOIS PAS QUE JE SUIS

55

EN TRAIN D'EMBRASSER UN SUPER-CANON?
ESPÈCE DE BOIT-SANS-SOIF.»
Je me demande si je n'ai pas chopé la fièvre.

1h30 À partir de maintenant, je vais être gentille avec tout le monde. Même avec Lindsay la Nouillasse, l'ex de Robbie. Non, je ne me planterai pas devant elle en hurlant : «Yesssssss!!!!». Je serai irréprochable et mûre en même temps.

Le seul lézard dans ce ciel d'azur, c'est qu'au moment où il me raccompagnait à son portail, Super-Canon m'a tordu le bout du nez et il m'a fait :

– À plus.

1h35 Qu'est-ce que ça pouvait bien vouloir dire? Non, je ne vous parle pas du «à plus». Il est entendu que le «à plus» est une énigme pour tout le monde. Non, le truc qui m'intrigue vraiment, c'est l'histoire de la torsion de nez.

1h40 Est-ce que ça signifiait? Option A : «Tu es vraiment trop craquante.» ou option B : «Non mais j'ai jamais vu un tarin pareil. Je me demande si j'arriverais à le faire tenir dans une seule main?»

Mercredi 28 juillet

15h35 Je suis la copine d'un Super-Canon mais je ne laisserai pas ce nouveau statut entamer mon naturel naturel.

Coup de fil à Jas.

– Quand j'aurai des tas d'amis super intéressants et classieux, je te garderai toujours comme copine. Parce qu'on est des vraies amies et que ce n'est pas un garçon qui pourra nous séparer.

56

Réponse de Jas :
– Tom m'a dit qu'il allait m'offrir un faux tatouage. J'ai l'intention de me le mettre sur la fesse gauche et de ne plus la laver jusqu'à son retour.
– Dis donc, Jas, ce serait trop te demander de laisser ton derrière en dehors de la conversation ?

Vendredi 30 juillet

17 h 00 C'est moi qui ai préparé le dîner pour Mutti et Libby. Purée de pommes de terre et saucisses. J'ai cru que Mutti allait fondre en larmes.

22 h 00 Tôt couchées, tôt levées, font les… Bref, fait la Georgia hors de portée de sa maman qui a piqué une méga crise en voyant l'état de la cuisine.

22 h 15 Pourquoi faut-il qu'on s'en prenne toujours à moi, même pour des broutilles ? Honnêtement, est-ce que c'est vraiment ma faute si deux poêles ont pris feu ? Je les ai planquées dans le jardin.

Quoi qu'il en soit, je refuse d'être indisposée par ce remue-ménage. Je garderai donc mon calme sous mon masque à l'œuf et à l'huile d'olive.

Samedi 31 juillet

19 h 55 Nuage rose. Vie en rose. Et pourtant pas de coup de filose. Pas gravose.

Août

EN MANQUE DE BÉCOTS

Dimanche 1ᵉʳ août

8 h 00 Ai réussi à convaincre Jas de m'accompagner à l'église pour remercier Dieu de s'être débrouillé pour faire exploser les pompes de Vati et pour m'avoir offert un Super-Canon pour jouer avec.

10 h 00 Quand j'ai déboulé devant chez elle, Jas m'attendait sur le muret avec une jupe tellement microscopique qu'on aurait dit un échantillon. Jamais vu un truc aussi petit de ma vie. Si je me balade devant grand-père avec une mini comme celle-là, je suis sûre d'avoir droit à : « Baisse le capot, on voit le moteur. » Ne me demandez surtout pas ce qu'il entend par là, je n'en ai pas la moindre idée. Mais je vous ferai dire que c'est le cas de tout le monde, sauf peut-être des chiens.

Quand Jas a sauté du mur, j'ai eu la confirmation que sa jupe ne faisait que quatre centimètres de long.

– Dis donc, Jas, ça fait un bail que t'es pas allée à l'église, non ?

– Te bile pas, j'ai une culotte méga couvrante.

À l'église

10 h 40 Bon sang de bonsoir ! Maintenant, je sais pourquoi je ne suis pas trop assidue au chapitre messe. C'est clair que question divertissement, on fait beaucoup mieux. Que je vous raconte. D'abord, j'ai été obligée de chanter *Plus près de Toi, mon Dieu*, ce qui est déjà une épreuve en soi mais les réjouissances ne s'arrêtaient pas là. La surprise du chef, c'était que le pasteur (« Appelez-moi Arnold » qu'il nous a fait) voulait à tout prix faire moderne et que, pour réussir ce pari de l'impossible, il n'avait rien trouvé de mieux que de s'entourer d'une bande de gros nullos pour l'accompagner à la guitare. Dans le lot, il y en avait un qui s'appelait Norman. Je reconnais que, déjà, ce n'est pas de bol mais les malheurs du garçon ne s'arrêtaient pas là, le pauvre était affligé d'une acné caractérisée. Et je vous prie de croire que ce n'était pas de l'acné de débutant, c'était plutôt le style dévorant comme affection.

Au moment où on partait, je me suis rappelé qu'au départ j'étais venue pour remercier Dieu, alors je me suis vite dépêchée de lui dire :

– Pardon, Dieu, pour Norman le Boutonneux, je Vous promets que je serai gentille avec lui la prochaine fois que je le verrai.

(Intérieurement, je précise.) Et, en prime, j'ai mis un billet d'une livre dans le tronc.

Lundi 2 août

12 h 10 Toujours pas de nouvelles de Super-Canon. Hier soir, je me suis couchée super tôt pour que le temps file plus vite.

En ce moment, j'essaie de faire passer le manque de bécots en m'embrassant le dos de la main, mais ça ne marche pas terrible.

15 h 30 Quelle chaleur ! C'est de nouveau la canicule. Le soleil brille comme un œuf au plat géant. On est allées se faire bronzer au parc avec Jas, Jools et Ellen et quand j'ai enlevé mes lunettes de soleil, j'ai eu le choc de ma vie. En pleine lumière, mes jambes sont atrocement Herr Kamyer. Côté blanc phosphorescent bien entendu, je ne parle pas du poil ni de l'aspect germanique de la chose. Suivez, bon sang !

Alors, j'ai fait à Ellen :

– Hé, dis, tu m'expliques comment tu fais pour avoir les jambes aussi bronzées ?

– Ben, je me mets du Tan O' Tan, banane.

Si ça se trouve, Super-Canon a remarqué mes jambes Herr Kamyer, il faut absolument que je m'achète ce machin Tan O' Tan.

Mardi 3 août

22 h 30 Jas est venue à la maison pour qu'on se fasse des coiffures et j'en ai profité pour l'obliger à me laisser lui embrasser l'arrière du mollet. Le but de l'expérience était de savoir si, oui ou non, j'étais dentue quand j'embrassais. Jas s'est dégagée vite fait en hurlant :

– Beurk, beurk, beurk ! Arrête ça tout de suite. C'est immonde, j'ai l'impression d'avoir un Norman le Boutonneux ventousé au mollet.

Pas très rassurant.

Quand elle a eu fini de s'offusquer, Jas m'a annoncé que Tom lui avait touché le sein la veille. Pour me venger, je lui ai sorti :

– Si ça se trouve, il a cru que c'était ton épaule.

Décidément, elle se prend vraiment pour Kate Moss. C'est pathétique.

minuit Super-Canon ne m'a pas touché le sein. Je me demande si ce n'est pas mauvais signe. Je vous ferai remarquer que j'avais les bras croisés presque tout le temps, rapport à mon problème de bouts de seins.

Mercredi 4 août

16 h 00 Coup de fil à Jas.
– Ce coup-ci, je me fais vraiment du mouron. Ça fait une semaine que j'ai pas de nouvelles. Je me demande si c'est pas un problème de nez. Si ça se trouve, Super-Canon n'aime que les nez en trompette comme celui de Lindsay la Nouillasse?
– Si j'étais toi, j'essaierais le bandeau. À mon avis, tu devrais la jouer plus front, ça éviterait qu'on bloque sur ton nez.
– Au moins, moi, j'ai un front. Ce qui n'est pas le cas de Lindsay la Nouillasse qui a un front de naine. Elle n'a pas de front du tout d'ailleurs. T'as pas remarqué? Il y a ses cheveux et tout de suite après il y a ses sourcils. Je me demande comment Super-Canon a pu sortir avec une fille sans front?
– Ses jambes sont pas mal.
– Ça veut dire quoi ça? Que les miennes sont moches peut-être? Ferme-la, Jas.
– Vas-y, fais-en qu'à ta tête et laisse donc tes cheveux défaits.
– D'un autre côté, l'abjecte Pamela Green a le plus grand front jamais observé chez un être humain. Si tu vas par là, cette fille, c'est rien qu'un front sur pattes. Il faut que je me sorte de la tête cette histoire de front, sinon je peux tourner folle.

16 h 30 En train de faire des essais avec un bandeau devant la glace de la salle de bains. J'ai bien l'impression que ça fait encore plus ressortir mon nez.

61

Avec ce truc sur la tête, c'est comme si j'avais un écriteau qui disait : « Hé, les gens ! Vous avez vu mon méga pif ? »

16 h 40 Trop occupée par mon affaire de bandeau, je n'ai pas prêté attention à ce que Libby traficotait sur le siège des toilettes. Cette gamine a les cheveux hérissés sur la tête, façon perce-oreille azimuté, mais elle refuse de se laisser coiffer. J'ai beau lui dire : « Libby, un de ces jours, il y a des bestioles qui feront leur nid là-dedans. » Tout ce qu'elle trouve à répondre, c'est : « Aaaaah, super. » Après quoi, elle se lance dans une série de « Bzz, bzzz, bzzz, bzz » d'abeille qui aurait chopé la dingue.

J'étais en train d'essayer de faire rentrer mon nez à l'intérieur de ma figure pour voir si des fois il paraissait plus petit, quand maman a déboulé dans la salle de bains sans crier gare (vous croyez qu'elle frapperait à la porte ?). Bref, elle a piqué une crise non répertoriée au catalogue des crises. Tout ça parce que Libby avait dévidé tout le papier toilette et qu'elle se l'était fourré dans la culotte pour ressembler à un bourdon. D'après ce qu'on a pu comprendre. C'est vrai que ça zonzonnait derrière mon dos mais je n'ai pas percuté. Mutti était raide cramoisie.

– Georgia, décidément, il n'y a qu'une chose qui t'intéresse dans la vie, c'est ton image. La maison pourrait brûler jusqu'à la cave que tu ne décollerais pas de cette glace.

J'ai levé un sourcil ironique. Non mais c'est la charité qui se moque de l'hôpital. À moins que ce soit l'inverse, je ne sais plus. Cette femme-là a un caractère très instable. Elle ferait bien de suivre des cours de maîtrise des pulsions colériques. Je lui glisserai un mot à ce sujet. Mais pas tout de suite parce qu'à l'heure où je vous parle elle a une brosse à la main.

16 h 50 Ma violente mère et son mauvais caractère sont sortis. Comme de juste, c'est le vide sidéral dans le frigo. Je suis vraiment mauvaise langue, il reste une saucisse à moitié grignotée. Miam ! miam !

16 h 55 Grand-père prétend que plus on devient vieux plus la gravité entraîne votre nez vers le bas et plus il allonge.

17 h 00 Est-ce que quelqu'un peut m'expliquer pourquoi je suis le fruit de gènes anormaux ? Pourquoi je n'ai pas des parents bien proportionnés comme ceux de Jas, le genre compacts avec rien qui dépasse. Au lieu de ça, côté mère, j'ai hérité du « danger pour la navigation » et, côté père, d'un nez effroyablement proéminent. Si je ne plais pas à Robbie, c'est la faute de Vati. Une supposition que cette affaire de gravité se révèle exacte, il lui faudra bientôt une brouette pour porter son nez. Bien fait ! Ça lui apprendra à foutre ma vie en l'air.

19 h 00 J'ai trop chaud et je ne tiens pas en place. Oh, Robbie, où es-tu ? J'ai l'impression que mon nez pèse une tonne.

20 h 00 J'ai mis la musique à fond et je danse comme une folle pour évacuer mon trop-plein de bécosité.

20 h 05 Horreur ! Malheur ! En me regardant dans la glace, j'ai constaté que mes seins s'agitaient furieusement. *Sacré bleu !!!* Chacun dansait sa petite gigue dans son coin.

Dans le *Elle* de maman, j'ai lu que les dames super chics se faisaient faire leurs soutifs dans un magasin qui se trouve derrière chez Harrod's.

20 h 15 C'est sûr que la reine doit se fournir là. À ce qui paraît la dame qui fabrique les soutifs est tellement fortiche qu'elle peut dire votre taille rien qu'en vous regardant. Pas le genre à proposer le test de la trousse. Si seulement je pouvais y aller.

20 h 30 Dès que la reine entre dans sa boutique, l'experte en soutifs doit crier à sa vendeuse : « Apportez-moi le quatre-vingt-quinze bonnets D de Sa Majesté, je vous prie. »
J'ai dit quatre-vingt-quinze au hasard.

21 h 00 La reine mesurant environ un mètre cinquante, en admettant qu'elle fasse du cent trente bonnet D, ça nous ferait un ballon d'un mètre cinquante de diamètre.

21 h 30 Mais qu'est-ce qui m'a pris de penser à un truc pareil ?

minuit Je me demande s'il faut que j'appelle Super-Canon ? Je ne sais pas quoi faire. Je suis total désemparée.

Jeudi 5 août

Toujours la canicule

16 h 00 Tour en ville avec le Top Gang pour essayer les nouveaux maquillages chez Boots et Miss Selfridge. C'est bon pour le moral, d'autant qu'on s'est fait le coup de la patte folle sur le chemin du retour. La patte folle consiste à marcher bras dessus bras dessous en boitant toutes du même côté avec interdiction formelle de briser la chaîne quoi qu'il arrive. Un type atrocement vieux a piqué une colère d'enfer parce qu'on a fait s'enfuir son labrador sans le faire exprès. Après la patte folle, on est allées au parc se reposer sur les balançoires et là, qu'est-ce que Rosie nous sort :

– Je me fumerais bien une clope.

J'ai failli m'étouffer.

– Non mais dis donc, je savais pas que tu fumais.

– Bof, ça me détend, quoi.

Rosie s'est coincé une cigarette dans le bec et elle a sorti un briquet de sa poche sous nos regards ahuris. Trop dommage, elle avait dû mal régler la flamme. Quand elle est sortie, elle faisait au moins douze centimètres de haut et il y a eu méga combustion de frange. Tout le monde s'est précipité pour éteindre mais c'était trop tard, il restait un tout petit résidu de cheveux complètement cramés. Rosie a filé chez elle la main sur le front pour cacher le désastre. Le reste de la bande est resté là à se balancer mollement sur les balançoires.

Au bout d'un moment, j'ai fait :

– Vous trouvez pas que Rosie fume beaucoup ?

Et là, méga fou rire de hyène chez les filles, le genre qui fait mal au bidon et qui fait pleurer et s'étouffer en même temps. Style, tu veux t'arrêter mais tu ne peux pas. Finalement quand tu y arrives, il y en a une qui remet ça et c'est reparti. J'en étais à la phase sus-décrite quand qu'est-ce que je vois dans mon champ de vision ? LUI. Super-Canon avec ses potes des Stiff Dylans. Il m'a semblé qu'il avait envie de venir me dire bonjour et là, j'aurais dû cesser de ricaner comme une demeurée. En général, c'est ce qui se fait si on veut éviter un désastre et ne pas se faire haïr, mais impossible de chez pas possible.

22 h 00 Coup de fil à Robbie. Pas là. Sa mère m'a dit qu'il était en répétition avec le groupe. Après tout, lui aussi aime bien rire. Donc, je ne vois pas où est le problème.

minuit D'un autre côté, c'est clair qu'au moment où Super-Canon m'a vue, je n'étais pas en train de faire ma célèbre ébauche de sourire avantageux. J'ai vérifié dans la glace à quoi je ressemblais quand je me laissais aller à un rire franc et massif avec nez et bouche livrés à eux-mêmes.

0 h 15 Ce coup-ci, c'est bon, ma vie est finie. Il ne me reste plus qu'à courir à l'hospice pour laids dans les meilleurs délais.

Vendredi 6 août

11 h 00 Il y avait une lettre pour moi au courrier. Une lettre de Robbie. J'avais méchamment la tremblote en l'ouvrant.

11 h 30 Me suis recouchée. CECI N'EST PAS MA VIE. Ce qui m'arrive dépasse la merdicité et de loin. Avec ce cataclysme, j'entre de plein fouet dans la galaxie de *le merde*.

11 h 45 J'ai relu la lettre de Robbie pour la douzième fois. Elle dit toujours la même chose.

Chère Georgia,
J'ai beaucoup réfléchi. Tu sais, je te trouve vraiment super et tu me plais beaucoup, mais quand je t'ai vue rire avec tes copines hier, je t'ai trouvée terriblement jeune. Il faut être réaliste, j'ai dix-sept ans, presque dix-huit, et si jamais un pote apprenait que j'avais ne serait-ce que l'intention de sortir avec une fille de quatorze, ça en serait fini de moi. Comment est-ce qu'on ferait pour se retrouver ? On irait à la maison des jeunes ? Je suis sûr que tu comprends ce que je veux dire.
Je pense qu'il serait préférable qu'on ne se voie plus,

66

disons pendant un an. Je crois qu'il te faut quelqu'un de ton
âge. Mon frère a un copain très sympa. Il s'appelle Dave. Un
type très drôle. Je suis sûr qu'il te plairait.
Ne m'en veux pas.
Bisous,
Robbie.

midi Au téléphone avec Jas. Je suis verte de rage.
Jas :
– Écoute... s'il te dit que ce type est drôle, pourquoi
t'essaies pas ?

– Jas, est-ce que par hasard tu serais en train de me suggérer de cesser d'aimer un garçon pour me brancher sur un
autre dans la seconde ? Et moi si je te disais : « Écoute, Jas.
Oublie donc ton Tom et tape-toi Norman le Boutonneux.
Vas-y ! Je te jure qu'il a une super belle tête sous sa couche
de pustules. »

Samedi 7 août

18 h 20 Je le hais. Je le hais.
Coup de fil à Jas.
– Mais comment ose-t-il me proposer de me trouver un
copain ? Je le hais ! ! ! ! ! ! ! ! ! ! ! ! !

Dimanche 8 août

15 h 50 C'en est trop. Il ne peut pas me traiter comme
ça. J'ai ma fierté. Comment ose-t-il douter de
ma maturosité ?
Au téléphone avec Jas.
– Jas ?
– Quoi ?
– T'es pas convaincue à cent pour cent que je devrais me
pointer chez lui et le supplier à genoux, pas vrai ?

11 h 40 Je ne m'en remettrai jamais.
Pour une raison que j'ignore, maman m'a dit qu'il y avait beaucoup d'autres poissons dans la mer. Qu'est-ce qu'elle a avec les poissons à la fin ? Dans un moment comme celui-ci en plus ! De toute façon, elle se fiche pas mal de mes sentiments.
Comme tout le monde d'ailleurs.

Mercredi 11 août

14 h 45 J'ai emmené Angus faire une longue promenade morose. Une partie de mon être déteste à fond Super-Canon mais, malheureusement, il ne s'agit que d'une infime partie (qui se situe quelque part dans la zone du genou), le reste l'aime atrocement.

15 h 00 Même mes seins l'aiment. Ils rêvent de passer au travers de mon T-shirt et de crier avec moi : « Je t'aime ! Je t'aime ! »

15 h 32 J'espère que le chagrin ne m'entraîne pas doucement mais sûrement vers la folie. À ce qu'il paraît, il y a des gens à qui ça arrive. Regardez Machine, Kathy Du Genou. Vous voyez de qui je veux parler ? Mais si, la fille qui se baladait la nuit sur la lande en hurlant : « Heathcliff, Heathcliff, c'est moi Super-Kathy, reviens. » Tiens, c'était qui au fait cette Kathy ? Une des sœurs Brontë ou bien Kate Bush ? Bref, un jour, la Kathy en question est sortie sous la pluie et elle est morte de chagrin. C'est le sort qui m'attend. Je me sens super vannée d'un coup. Une supposition que je m'allonge dans l'herbe, on pourrait ne jamais me retrouver.

15 h 35 Angus n'arrête pas de tirer sur sa laisse. J'ai cru que je n'arriverais jamais à la lui mettre. Mais au moins, quand il l'a, je suis sûre que les chiens style petit gabarit sont à l'abri d'une attaque du monstre.

16 h 00 J'ai parlé trop vite. Pour cause de pékinois, Angus vient de me traîner sur le ventre et sur un bon kilomètre avant que je puisse le maîtriser. Ce chat est doté d'un courage insensé. Il y a un truc chez les petits chiens qui le met hors de lui.

16 h 30 Angus sait rapporter un bâton!!! J'avais un bâton à la main avec lequel je tapais sur des trucs tout en marchant, et puis j'ai chopé mal au bras et je l'ai balancé. Et là vous me croirez si vous voulez, mais Angus s'est jeté dessus et il me l'a rapporté!!! Vive mon Super-Chat!!!

17 h 00 Ce serait cool si j'arrivais à lui faire porter une petite bonbonne de thé autour du cou au cas où j'aurais envie d'une tasse quand on se balade tous les deux.

Vendredi 13 août

Dans ma chambre

1 h 00 Fait étouffant. Pleine lune. Assise sur le rebord de la fenêtre (moi, pas la lune, bande de demeurés!).

1 h 05 Je le hais.

1 h 06 Oh, je l'aime. Je l'aime.

69

1 h 10 Je le hais mais il ne me brisera pas. Je lui ferai regretter le jour où il a dit : « Je connais un type qui s'appelle Dave. Il est très drôle. »
Rira bien qui rira le dernier.

2 h 00 Pour me venger, je vais devenir un piège impitoyable à beaux petits lots.

2 h 05 Oh, non, non, ce n'est pas du tout ce que j'ai voulu dire ! Je ne veux surtout pas être un piège à beaux petits lots, ça voudrait dire que je suis lesbienne.

2 h 05 (... et 30 secondes.)
Quand bien même, où est le mal ? À chacun sa chacune, c'est ma devise. Après tout, maman a bien dû embrasser papa (beurk !).

2 h 06 Si jamais on me demandait mon avis sur la sexualité, disons dans l'édition du dimanche du *Mail* ou dans un autre canard, je dirais que c'est une affaire de choix personnel qui ne regarde pas les journalistes. Ou bien je pourrais dire aussi : « Ne me demandez pas ça à moi, je suis dans les affres de l'amour. »

Dimanche 15 août

Au lit

21 h 40 Tôt au lit, à soigner mes peines d'amour dans « l'intimité » de ma chambre.

21 h 41 Comment faire pour empêcher Libby de planquer ses culottes pleines de popo dans le fond de mon lit ?

9 h 00 Réveillée. Réveillée à neuf heures du matin alors que je suis en vacances. Non mais vous vous rendez compte : neuf heures !!!! Ça prouve à quel point je suis mal.

Comme de bien entendu, maman n'a rien remarqué.

– Mutti, ce serait trop te demander d'apprendre à Libby à faire popo comme les grands. Tu ne crois pas qu'il serait temps, non ? À ce compte-là, elle sera à la retraite qu'elle continuera à faire popo partout. C'est un coup à ne jamais avoir de petit copain... Note, on sera deux comme ça.

8 h 30 J'ai l'impression d'avoir perdu pas mal de poids sur le plan cucul. Vous croyez que quelqu'un s'en serait aperçu ? Mais non, bien sûr. Maman est sur un nuage. Figurez-vous qu'elle a un calendrier dans la cuisine sur lequel elle coche les jours qui restent jusqu'au retour de papa. Le jour J est entouré d'un gros cœur. C'est consternant à son âge, non ?

Avant de descendre, je lui ai fait :

– Te bile pas pour mon petit dej', Mutti. Je vais me le faire toute seule, toi continue donc à t'occuper de ta vie personnelle tellement importante.

Elle chantonnait dans la salle de bains en se tartinant la tronche de crème, sans même faire attention à moi. Alors, j'ai ajouté quelques décibels :

– Au fait, Mutti, faut que je te dise. Il s'est passé un truc dément hier soir. Je me suis tranché la gorge et ma tête est tombée. Tu l'aurais pas vue par hasard ?

Réponse de maman :

– Est-ce que Libby a ses chaussures ?

71

– Je me demande si Vati n'aurait pas contaminé le Père Porte-à-Côté. Je crois bien qu'il se travestit lui aussi.

La suggestion a fini par faire sortir Mutti de la salle de bains.

– Georgia, tu ne crois pas que tu pourrais m'aider un peu ? Où est ta sœur ?

– Mutti, est-ce que par hasard tu aurais remarqué quelque chose de différent chez moi ? Non ? Eh bien, je vais te dire de quoi il s'agit. Je ne suis pas heureuse... En fait, je suis même malheureuse.

– Ah bon, pourquoi ? Tu t'es cassé un ongle ?

Et là, elle est partie d'un rire carrément méchant avant de se pencher à nouveau sur le sort de sa petite dernière.

– Libby, mon cœur, où es-tu, chérie ? Qu'est-ce que tu fais ?

Et là très loin, j'ai entendu venir du fond de la chambre de maman des miaulements de chat et la petite voix de Libby qui répondait :

– Rien.

Soudain inquiète, Mutti s'est précipitée dans sa chambre.

– Oh non !

Puis panpan cucul sur le derrière de Libby et hurlements de Mutti :

– Libby, c'est le plus beau rouge à lèvres de maman !

– C'est chou !!!

– Non, ce n'est pas chou. Les chats ne mettent pas de rouge à lèvres.

– Si.

– Non.

– Si.

– Libby, tu ne tapes pas maman !

– Méchante maman.

Hahahahahaha ! Rira bien qui rira... heu... la dernière.

11h00 Il pleut. En août. Ben voyons. En pataugeant dans les flaques pour aller retrouver Miss Culotte-Méga-Couvrante, je me disais comme ça que soit je capitulais devant l'adversité et je devenais une grosse nulle comme le gardien givré de notre collège, j'ai nommé le lamentable Elvis Attwood. Soit je capitulais devant l'adversité et je choisissais la version Lindsay la Nouillasse. Faut dire que quand Robbie l'a larguée, elle est devenue méchamment pâle et encore plus nouille que d'habitude. On aurait dit une anorakxique (l'anorakxique est une personne qui cumule deux handicaps : des jambes riquiqui et un anorak à pleurer). Quel humour ! Même au fond du gouffre, je trouve toujours le moyen de faire des blagues. Celle-là, il faut absolument que je la raconte à Jas. Comme je le disais précédemment avant d'être grossièrement interrompue par moi-même, soit je deviens une pauvre grosse nulle, soit je serre les fesses parce que je vais finir comme dans la chanson où il faut chercher le héros à l'intérieur de soi-même.

Jas m'attendait à l'arrêt du bus. Elle m'a fait :

– Pourquoi tu marches toute raide ?

– Je serre les fesses.

– Dis donc, ça m'a l'air douloureux comme affaire. On dirait que tu as un bâton dans le derrière. T'en as pas un au moins ?

– Tu sais que tu es gravement atteinte, ma pauvre fille. Je te garantis que dans le temps, les gens t'auraient balancé des oranges.

Je ne le répète jamais assez mais ma maturosité et mon humorisité même dans l'adversitosité me surprennent moi-même.

Lundi 23 août

2 h 10 Au lit. Dieu du ciel, comme c'est gonflant les chagrins d'amour ! Je passe tellement de temps au lit qu'il va finir par me pousser une longue barbe blanche comme les nains de Machine.

2 h 15 Ou alors, peut-être que ce sont mes sourcils qui pousseront. Auquel cas, il faudra que je leur apprenne à faire la barbe.

2 h 48 Je n'arrive pas à dormir. Je me sens comme une pile électrique. Je vais descendre chercher le bouquin de maman, *Les hommes viennent de Mars, les femmes viennent de Vénus*, pour essayer d'y voir un peu plus clair.

3 h 35 Trop bizarre ! À ce qui paraît, les garçons voudraient que les filles ne pensent qu'à eux mais en même temps ils tiennent à mort à ce qu'elles soient style iceberg comme genre. Le truc donc, c'est qu'il faut les faire marcher. Et c'est sans doute là que j'ai commis une erreur. J'ai fait la gentille au lieu de faire le glaçon.

Jeudi 26 août

22 h 33 Même lieu. Même punition. Même poupée Barbie plongeuse sous-marine en train de me labourer le dos.

Dans le chapitre que j'ai lu hier soir, le livre disait aussi que les garçons étaient comme des élastiques. Manquait plus que ça !

Ça ne veut pas dire qu'ils sont en caoutchouc, ce qui est une bonne nouvelle dans la mesure où pas une fille ne voudrait sortir avec un garçon en caoutchouc. Quoique, si c'était le cas, on s'éviterait bien du souci. Pour en dégoter un, il suffirait juste de le découper dans un pneu de voiture. Mais ce n'est pas ce que dit le livre. Il dit que les garçons et les filles sont très différents. Que les filles aiment bien être collées tout le temps alors que les garçons non. Eux, c'est seulement au début qu'ils aiment ça. C'est l'étape de l'élastique enroulé sur lui-même. Mais au bout d'un moment, deuxième étape, les garçons en ont ras le bol d'être enroulés et il faut qu'ils s'étirent de toute leur étirabilité. Puis, troisième étape, une fois que le garçon est resté de son côté étiré un moment, il se détend et revient à fond de train vers la fille.

Hmmmm. Résumons-nous. Donc, si j'ai bien compris, question garçon, il faut d'une part les faire marcher à fond (le coup du glaçon) et d'autre part, les laisser vivre leur vie d'élastiques. *Sacré bleu !* Qu'est-ce qu'ils veulent au juste ? Si vous voulez mon avis : pas grand-chose.

Vendredi 27 août

16 h 20 Suis chez Jas. On a fait un tour en ville. Me suis acheté un nouveau rouge pour me remonter le moral et Jas s'est payé une brosse soufflante qui donne du ressort aux cheveux. Elle avait dans l'idée de se tourner les pointes vers l'intérieur.

Donc, elle se frisottait la perruque quand elle m'a sorti .

— J'ai essayé de trouver un soutif à ma taille mais impossible, il y en a pas d'assez petit. Faut dire que j'en ai pas besoin. Je suis un peu comme Kate Moss, quoi, tu vois. Il t'en faut un toi, non ? T'as raté le test de la trousse si je me souviens bien ?

— Du crayon. La trousse, c'est ma mère.

— Le crayon est resté coincé, hein ? Je suis pas folle. Tu as dit que si ça arrivait, fallait investir d'urgence dans un soutif.

– Je sais ce que j'ai dit.

J'ai remarqué que quand Jas me tapait sur les nerfs (c'est-à-dire tout le temps), sa frange était plus frangette que d'habitude, si vous voyez ce que je veux dire.

Miss Frangette de mes deux poursuivait sur sa lancée.

– Tout ce que je dis, c'est qu'il y a pas de quoi faire une dépression nerveuse.

Là, elle commençait vraiment à me courir sur le haricot. Et pas qu'un peu. Dans sa chambre, tout est bien rangé. Pour moi, les trucs à leur place, c'est signé « personne mortellement ennuyeuse ». La fois où on avait suivi Lindsay la Nouillasse jusque chez elle, j'avais vu que dans sa chambre, c'était pareil. Tout était rangé. Et vous devinerez jamais ? Jas range toutes ses culottes dans le même tiroir !

Non seulement, c'est terriblement assommant à faire mais en plus, chez moi, ce serait totalement inutile. Soit mes culottes servent de chapeaux aux poupées de Libby, soit Angus les boulotte.

Histoire de changer de sujet, je lui ai demandé avec beaucoup de tact :

– Au fait, il part quand à son stage, Tom ?

Bien joué, Georgia. Elle a arrêté sa brosse soufflante et je ne vous raconte pas la tronche, méga déconfite. Hahahahahaha !

– Samedi prochain. Je ne veux même pas y penser tellement ça va être horrible. Tu crois qu'il peut rencontrer une autre fille à Birmingham ? me demanda-t-elle ingénument.

J'ai pris un air méga sûre de moi et en même temps visionnaire et en même temps comme si je réfléchissais à mort (ce qui n'était pas le cas).

– Écoute, il est jeune et tout le monde sait comment sont les jeunes.

– Tu crois ?

J'ai laissé échapper un rire amer. Alors, elle m'a fait :
– C'est pas parce que Robbie t'a plaquée que tous les garçons sont pareils.
– Si. Dans le bouquin de ma mère, *Les hommes viennent de Mars, les femmes viennent de Vénus*, tout est expliqué. Là évidemment, elle a été séchée. Le désir d'en savoir plus l'a propulsée à côté de moi sur le lit.
– Qu'est-ce qu'ils disent dans ce bouquin ? Que Tom va sortir avec une autre fille ?
– Mais oui, comme je te le dis. Au chapitre quatre de ce best-seller mondial écrit par un Américain qui ne connaît Tom ni des lèvres ni des dents, il y a écrit : « Il est certain que Tom Jennings sortira avec une autre fille lors de son stage à Birmingham. »
Allez, la voilà toute chiffonnée.
– Ben alors, qu'est-ce qu'ils disent dans le bouquin ?
Je l'ai laissée mariner un peu. Ça lui apprendrait à me chercher sans arrêt sur mes flotteurs et à me rappeler que Super-Canon m'avait quittée.
– Je peux essayer ton nouveau brillant ?
Vous croyez qu'elle m'aurait répondu ? Non avec elle, ce n'est que moi, moi, moi et mes petits problèmes personnels.
– Total, Gee. C'est quoi le truc alors ? Au fait, c'est un bouquin américain, non ?
– Oui.
– Ben alors, ça ne concerne que les garçons américains ?
– Non, ça parle des garçons en général.
– Je vois.
J'ai fait exprès de ne rien dire. Jas attendait que je parle, les yeux et les oreilles grands ouverts. Ça m'a bien plu de la voir comme ça. Si ça se trouve, je vais peut-être changer d'orientation et me brancher courrier du cœur plutôt que d'envisager une carrière de choriste. D'autant que je ne sais pas chanter alors que, question chagrin d'amour, je suis imbattable.

Jas bouillait littéralement.

– Allez, accouche.

– Voilà, les garçons sont comme des élastiques.

– Quoi ?

– Je répète pour les sourds et les malentendants : les garçons sont comme des élastiques.

– Quoi ?

– Jas, si tu continues à dire « quoi » chaque fois que je sors un truc, on est pas près de finir.

– Bon d'accord. Qu'est-ce que ça veut dire cette histoire d'élastiques ?

– Au début, les garçons aiment bien être très près mais, au bout d'un moment, ils ont besoin de s'étirer et de partir loin. Et les filles, faut qu'elles les laissent faire : après ils se détendent et reviennent.

– Quoi ?

– Tu recommences. Bon Dieu, ce que tu peux être énervante à la fin ! Je crois que je vais te tuer. Je vais me débarrasser du trop-plein d'énergie destructrice que m'a filé l'affaire Super-Canon en te cassant la figure.

Et hop ! je l'ai poussée.

– Fais pas la gamine.

– Je le fais pas d'abord.

Elle s'est levée et s'est redonné un coup de ressort aux cheveux avec sa brosse à la noix. J'ai attendu que ce soit juste comme il faut (enfin, pour elle) et je lui ai tapé sur la tête avec un oreiller.

Elle a commencé à me faire :

– Arrête, c'est pas marr…

Mais elle n'a pas pu finir parce que je lui filais un autre coup sur la tronche. Et chaque fois qu'elle essayait de dire un truc, je recommençais. Elle est devenue pivoine, ce qui dans le cas de Jas signifie très très rouge, et je me suis sentie tout de suite beaucoup mieux. Total, la violence est peut-être bien la réponse aux problèmes du monde. Je ferais peut-être bien d'écrire au dalaï-lama pour lui suggérer d'envisager une nouvelle approche.

Dans ma chambre

minuit J'ai un plan. Qui, pour réussir, nécessite deux « osité » : la « maturosité » et la « glaciosité ». Primo, il faut prouver à Super-Canon que je suis méga branchée et adulte. Et pas une hyène rieuse en uniforme de collégienne comme il le pense depuis qu'il m'a vue la dernière fois (ça c'est pour la partie maturosité). Deuzio, je dois faire la distante et la séduisante et le faire marcher en même temps (et ça c'est pour la glaciosité).

Et le résultat de ces deux « osité » combinées est que Super-Canon détendra son élastique et qu'il reviendra vers moi à toute blinde.

Samedi 28 août

14 h 10 Coup de fil à Jas.
– J'ai un plan.
– Écoute, là je peux pas te parler. On s'en va avec Tom choisir mon tatouage.

Qu'est-ce que je vous disais !

C'est comme ça avec Miss Culotte-Méga-Couvrante, elle fait toujours passer son copain en premier. Autant dire si elle m'aime.

22 h 00 Au lit en train d'écouter une cassette. Trop dommage, c'est celle du *Pique-nique de Papa Ours*. Ça n'est que la cinquième fois que Libby m'oblige à l'écouter. Si je fais mine d'arrêter la cassette, le visage de ma petite sœur adorée est agité d'un drôle de rictus et elle commence à grogner.

Ai appelé les copines en début de soirée pour savoir s'il

y en avait une qui voulait sortir mais tout le monde avait mieux à faire.

23 h 00 Une supposition que j'aie un truc grave, style crise d'appendicite ou je ne sais quoi, je me demande si mes copines auraient « mieux à faire » que de venir à l'hôpital.

23 h 30 J'ai mal au côté. Si ça se trouve, j'ai une appendicite chronique.

23 h 32 L'an dernier, on a fait le lapin en sciences nat et, à ce qui paraît, il aurait un genre de buisson qui lui pousserait dans l'appendice. Vous trouvez ça normal ?

Dimanche 29 août

18 h 30 Mutti et Libbs sont allées rendre visite au très vieux siphonné (grand-père). Quand maman m'a demandé si je voulais les accompagner, je lui ai lancé un regard effondré. Mais trop lamentable, elle n'a pas tilté et donc, elle a répété la question. Total, il a fallu que j'explique le plus poliment du monde que je préférais encore me pendre avec le short du Père Porte-à-Côté plutôt que d'aller voir grand-père. Tout ce qu'elle a trouvé à me dire, c'est que j'étais une sale gosse gâtée avec un caractère de cochon. On se demande bien comment je pourrais être gâtée ! Si j'arrive à avoir un repas complet par semaine, c'est que je suis particulièrement vernie. Je suis de plus en plus maigre. Cette décharge pondérale ne concerne pas mon nez. Ni mes flotteurs en expansion.

20 h 00 Ellen, Rosie et Jools se sont pointées chez moi et on s'est assises sur le mur pour regarder passer les garçons. Je dois reconnaître qu'il y en a pas mal de mignons, mais aucun n'a la dimension Super-Canon.

Mark (Grosse-Bouche) est passé avec sa copine, Ella. Cette fille-là est tellement naine que j'ai cru qu'il sortait avec sa petite sœur.

À un moment, Rosie m'a fait :

– Alors, raconte. Qu'est-ce qui s'est passé avec Robbie ?

– Il m'a envoyé un mot dans lequel il disait que je ferais mieux de sortir avec un type qui s'appelle Dave la Marrade.

– Ça m'a tout l'air d'un largage par procu, ce truc, non ?

– Tu dis ça pour me remonter le moral ou quoi ?

– Mais je croyais que vous en étiez au numéro six.

– On y était mais il m'a dit comme ça que ses parents criseraient grave en apprenant mon âge. Pour eux, je suis un truc à prison.

Totale attention du Top Gang. Ellen en a même retiré son chewing-gum de la bouche.

Jools :

– C'est quoi un truc à prison ?

Pour être honnête, je n'en savais fichtrement rien mais j'ai improvisé (inventé, quoi).

– C'est quand... c'est quand t'es mineure et que tu vas au numéro huit avec un garçon.

Rosie :

– Tu veux dire que si une fille laisse un garçon lui toucher la foufoune, elle va en prison ?

Faut de la patience avec ces bêtes-là.

– Non, Rosie. Pas elle, lui, le garçon.

– Ben, pour Sven, c'est bon alors.

– D'accord, très bien, je lui ai fait.

Mais je ne savais vraiment pas de quoi je parlais. Je suis méchamment tourneboulée et sens dessus dessous par le fait. Comble de malheur, on est fin août et j'ai toujours mes jambes de Herr Kamyer.

13 h 43 Ai emprunté son Tan O' Tan à Ellen. Dans moins de deux, mes jambes de Herr Kamyer auront viré pièges à garçons délicatement ambrés. Et que je t'en passe une couche et t'en repasse une autre. Je vais le laisser poser une bonne heure.

14 h 00 Si je déplace mon lit, je peux faire une séance bronzette sur la moquette devant la fenêtre ouverte. Super-Canon va avoir un mal fou à résister à la nouvelle Georgia caramélisée qui est sur le point de naître.

16 h 05 Me suis réveillée avec des jambes de Herr Kamyer orange et un énorme pif rouge ! ! ! !

17 h 00 Me suis frotté les jambes à la pierre ponce comme une malade et elles ont un peu perdu de leur orangé mais mon nez persiste dans sa version rouge façon clown. Trop génial, non ?

SEPTEMBRE

OPÉRATION ÉLASTIQUE

Mercredi 1ᵉʳ septembre

19 h 00 Oh! la, la! je crève de chaud avec des chaussettes par ce temps-là! Mais mieux vaut l'étuve que manquer l'éblouissement chaque fois que je pose les yeux sur mes mollets. Figurez-vous que le orange est tenace. Plus que huit jours avant le retour au Stalag 14. Cette fois, il faut que je sois atrocement ferme. Pas question d'être assise à côté de l'abjecte Pamela Green.

Mutti et Libby sont parties chez oncle Eddie. Il apprend la salsa à maman. Non, mais je vous demande un peu! Si c'est pas lamentable! Parfois, avec les très vieux, on se chope de ces hontes. Imaginez un peu ma mère en train de danser la salsa avec un œuf dur à pattes.

En public!

Ou en privé!

19 h 05 Coup de fil de Jas. Tom est parti à son stage et elle veut passer chez moi. Mais enfin pour qui me prend-elle? Je ne vais quand même pas jouer les remplaçantes. Elle va être déçue si elle s'imagine qu'il suffit que son Tom parte à Birmingham pour que je me rende disponible jour et nuit. Elle ne sait pas à qui elle a affaire.

83

19 h 08 Et si je la forçais à m'acheter un truc super cher chez Boots. Mais non, il y a beaucoup mieux. Attendez un peu.

19 h 30 En train d'écouter d'une oreille bienveillante les jérémiades interminables de Jas à propos de son Tom.
– Ferme-la maintenant, Jas, tu veux.
– Hé dis donc, pourquoi tu t'es mis du blush rose sur le pif ?
– Ferme-la, je te dis.

19 h 42 Ai fait mon célèbre pain perdu à Jas (« pain français » pour les francophiles). Je vous donne la recette : battre un œuf, tremper une tranche de pain dedans, la faire frire et c'est prêt ! La touche française n'intervient qu'à la dégustation qui exige que l'on parle avec l'accent français. Donc, tout en mâchouillant délicatement mon pain, j'ai sorti à ma super copine :
– *Jas, mon petite.*
– *Je écoute.*
– *J'ai une plan* pour ratatiner Super-Canon avec ma maturosité. J'ai besoin de *tu* pour *la plan.*
J'ai cru qu'elle allait s'étouffer avec sa tartine.
– *Le réponse est non.*
– *Toi adorer.*
– *Oh, le Seigneur, le Seigneur!*
Première phase du plan : s'habiller pour avoir l'air le plus vieux possible et réussir à payer plein tarif dans le bus. Disons que c'est un test. Jas râlait comme une folle en se maquillant mais elle faisait ce que je disais, c'était l'essentiel

20 h 30 Prêtes. Je dois dire qu'on fait très classe comme ça. On a environ trois tonnes de maquillage en plus par rapport à ce qu'on se met d'habitude et le détail qui tue, on s'est fait les lèvres rouge foncé. La tenue est noire bien sûr parce que le noir vieillit à mort comme je me tue à le répéter à Mutti pour qu'elle me file ses T-shirts et son pantalon en cuir noirs. En sortant de la maison, j'ai fait à Jas :

– On a intérêt à rentrer avant ma mère, je lui ai pris son sac Gucci et, l'autre jour, elle m'a dit qu'elle me tuerait si jamais je sortais avec. Elle est vraiment pas sympa avec ses affaires. Après ça faut pas qu'on s'étonne si je lui emprunte derrière son dos.

En chemin, une autre idée de génie m'a traversé l'esprit.

– On va faire semblant d'être françaises.

– Pourquoi ?

– C'est pas plutôt *pour le quoi* que tu voulais dire ?

– Non, c'était pourquoi ?

– Alors, la réponse est parce que, *mon petite camarade.*

minuit Yes !!!!! *Très excellente !!! Merveilleuse !!!* Mon plan a marché tout seul comme un grand. Le chauffeur du bus était le portrait craché du gardien du collège (très vieux, très givré et très mal embouché) mais version motorisée. Un Elvis à bus au lieu d'un Elvis à cabane. En montant dans le bus, j'ai fait au Elvis à moteur :

– *Bon nuit, ma très vieille bonhomme. Donne deux coupons à Deansgate pour copine et moi, s'il plaît à toi.*

Le Elvis à moteur a compris ce qu'on voulait mais, consternation d'entre les consternations, il n'a pas résisté à la désastreuse habitude des tricentenaires, faire de l'esprit. Mais on a eu nos tickets (plein tarif !!! Yess !!! Gagné !!!). Au moment où je payais, il m'a fait :

– Arrosoir et persil, en riant comme un demeuré (ce qu'il était déjà à la base).

Non mais, on peut me dire ce qui se passe avec les gens ?

0 h 20 Bien au chaud dans mon lit. Je fais tellement vieille que je ferais aussi bien de quitter l'école.

0 h 30 Une supposition que ce soit possible, je partirais en voyage et j'aurais des aventures géantes au lieu de perdre mon temps avec des gens beaucoup trop jeunes pour moi.

0 h 35 Je pourrais aller en Inde rendre visite au dalaï-lama. À moins que je me goure et que ce soit Gandhi qui vive là-bas. Méga colle, on n'a pas encore fait l'Inde en géo. Tout ce que je sais sur l'Inde, c'est Mutti qui me l'a appris et ça se résume grosso modo à : « L'Inde, c'était... heu... tu vois... tellement génial. » Bref, même si on avait fait l'Inde en géo, Mme Franks est tellement nulle quand elle explique que, de toute façon, je n'en saurais pas plus que maintenant. Je vous ferais dire qu'en histoire elle a quand même sorti « camps de contraception » au lieu de camps de concentration. Vous voyez un peu le niveau.

1 h 00 Et maintenant, phase deux de mon plan : l'étape glaciosité. Pour ça, il faut trouver dare-dare une occasion de montrer à Super-Canon de quels glaçons je me chauffe.

Samedi 4 septembre

17 h 50 Plus que cinq jours avant le retour au Stalag 14 (le collège, pour ceux qui n'ont pas compris). J'ai sorti mon uniforme de l'armoire et, vu l'aspect, j'en ai conclu qu'Angus s'en était servi comme terrier. Je l'ai fourré dans la machine (l'uniforme, pas le chat) en espérant que le mouchetis de bouts de plumes partirait au lavage.

Je viens de penser à un truc marrant à faire avec le béret

que *l'Oberführer* (j'ai nommé Œil-de-Lynx Heaton) nous oblige à porter avec l'uniforme et cette trouvaille m'a fait un bien fou.

18 h 00 Coup de fil à Rosie.
– J'ai pensé à un truc trop génial à faire avec le béret cette année.
– Je croyais qu'on avait décidé de le porter roulé derrière la tête façon saucisse comme d'hab'?
– Pas faux... Mais qu'est-ce que tu dirais d'un béret qui fait en même temps garde-manger?
– Comment ça?
Il faut une de ces patiences. Ce n'est pas facile d'être chef de bande tous les jours. Je comprends à fond Richard Branson sur le sujet bien que sur le plan barbe ridicule, je sois plus réservée.
Bref, j'ai expliqué:
– Tu fourres ton sandwich, tes chips ou ce que tu veux dans ton béret et ensuite tu le fais tenir sur la tête en le ficelant avec ton foulard. Au final, qu'est-ce que tu as? Le béret garde-manger!
– Ça va rendre Œil-de-Lynx total cinglée.
– *Exactamondo, mon petite compagnon.*
– Tu es un génie!
Je ne te le fais pas dire, Rosie.

Dimanche 5 septembre

17 h 10 Au secours et *sacré bleu*!!! Je trottinais vers le parc pour retrouver le Top Gang quand quı j'aperçois? Je vous le donne en mille: «Appelez-moi Arnold», le pasteur. Ni une ni deux, je m'accroupis derrière une voiture en attendant que le danger passe. Mais manque de bol de chez pas de chance, c'était la voiture du saint homme. Et comme de juste, il m'a vue blottie stupidement contre sa roue. Pas d'autre solution que de faire la fille méchamment captivée par un caillou.

Mais il y a un hic, Dieu apprendra forcément que j'ai cherché à éviter son serviteur. Franchement, je me demande ce qui pourrait encore m'arriver comme tuile.

17 h 45 Maintenant, je sais. Mon cousin James vient à la maison demain.

minuit Si jamais le cousin James me refait le tout bizarre et qu'il essaie de m'embrasser, je vous préviens que je peux péter un câble.

Lundi 6 septembre

22 h 00 Durant l'après-midi, James m'a demandé si je voulais jouer au strip poker. Bonjour, le malaise ! Alors, je lui ai fait :
– Je sais pas jouer au poker.
Alors, il m'a fait :
– On n'a qu'à jouer à la strip bataille, alors.
J'ai dit que le téléphone sonnait, ce qui était archifaux, et je l'ai planté là. Cinq millions d'années plus tard, il partait. Au moment de lui dire au revoir, je me suis aperçue qu'il avait un truc qui lui pendouillait sous le nez. Au début, j'ai cru que c'était une vieille crotte mais (vous allez être effondrés), plus j'y pense et plus je suis convaincue que c'était un début de moustache. Beurk !

Mercredi 8 septembre

22 h 00 Maman est venue me demander si je voulais qu'elle me réveille demain matin pour mon premier jour de Stalag 14.
– Oh, maman, quelle bonne surprise ! Tu n'es pas sortie ?

La mère indigne m'a tapoté le sommet du crâne.

– Bonne nuit, ma petite fée douceur.

Depuis que Vati a décidé de rentrer, tout semble lui glisser dessus. Elle a sans doute oublié la moustache de papa. Moi pas. D'ailleurs, histoire de lui rafraîchir la mémoire, j'en ai dessiné une sur le cœur du calendrier de la cuisine.

22 h 30 Me suis lavé les cheveux mais sans les sécher. Pas envie. Je sais d'avance que si je me couche dessus quand ils sont mouillés, ça ne fera pas un pli, au réveil j'aurai la coupe « hérisson effarouché ». Pour éviter le désastre, j'ai judicieusement glissé un oreiller sous ma nuque de façon à ce que ma tête retombe de l'autre côté et que mes cheveux restent bien étalés derrière.

C'est comme ça que dorment les bouddhistes japonais. D'ailleurs, je me demande si ce n'est pas ce qu'on appelle le.. zut je ne trouve plus le nom. Ça me revient, le zen. Probable que les bouddhistes zen dorment la tête en arrière pour libérer leur *chi*. J'ai lu dans mon livre sur le bouddhisme que le *chi* était l'énergie qu'on a dans le corps. Je ne vous dis pas combien j'en ai besoin, moi, d'énergie pour réussir mon plan Récupération de Super-Canon.

Je crois que tout le sang que j'ai dans les épaules est en train de se vider à l'intérieur de ma tête.

23 h 00 Qu'est-ce qui peut bien se passer quand on a du sang en rab dans la tête ? Une supposition que tout le sang des épaules et du cou aille à l'intérieur de la tête, elle augmente forcément de volume, non ?

Ou bien les oreilles stockent le surplus grâce à un système, type ballons gonflables. Je me demande si les Japonais ont l'oreille volumineuse ?

Maintenant que j'y pense, il se peut que Lindsay la Nouillasse soit dotée d'oreilles monumentales pour cause d'ancêtres japonais. Ça ne m'étonnerait pas.

Cette origine nipponne expliquerait également les jambes riquiqui.

Mais pas les gros yeux globuleux.

Jeudi 9 septembre

8 h 00 Me suis réveillée roulée en boule sous les couvertures. J'ai dû m'endormir en oubliant de maintenir ma position zen. Dans ma conscience consciente, je me souviens m'être dit : « Je suis une japonaise zen et il faut que je dorme avec la tête qui pend en arrière dans le vide » mais mon subconscient anglais et endormi a dû s'empresser de contredire les ordres nippons : « Roule-toi en boule, tu ne rêves que de ça... »

Dans la salle de bains

8 h 10 Ohnononononononononononon ! ! ! ! On dirait que j'ai pris du 220 volts par les doigts de pied toute la nuit. Pas le temps de me relaver les cheveux, il ne me reste plus qu'à les aplatir avec du gel.

8 h 30 Speed. Speed. Peux plus respirer. Peux plus respirer.

Jas m'attendait devant chez elle. En me voyant, elle m'a fait :

— Ben, tu as voulu te coiffer comme Elvis Presley ou quoi ?

On arrivait à fond de train en haut de la côte du collège avec la langue pendante jusqu'au sol, quand qui je vois postée à côté de la grille telle la fouine ? La Mère Œil-de-Lynx. La brigade de surveillance des bérets était déjà à pied d'œuvre ! Zut, je n'ai pas mis le mien. Pas le temps pour « la saucisse » ni pour « le garde-manger ». Plus qu'une solution : sortir l'objet de mon sac et me l'enfoncer sur le crâne jusqu'aux oreilles en ne laissant dépasser que les yeux.

Juste quand on passait devant elle, le cerbère s'est ébroué comme si un truc odieux avait fait son nid dans sa culotte.

– Plus que deux minutes avant le rassemblement, mesdemoiselles. Essayez de ne pas débuter le trimestre avec une colle!

Oh, comme c'est gentil! Vous croyez qu'elle se serait fendu d'un « bonjour, Georgia, contente de vous revoir ». En filant comme une fusée vers les vestiaires, j'ai sorti à Jas:

– Tu imagines Œil-de-Lynx avec un fiancé? Beurk! Beurk! Il faut impérativement que je m'ôte cette idée de la tête sinon, dans moins de deux, je la vois en clair se rouler des pelles avec un spécimen de la gent masculine, voire plus si affinités. Beurk! Ça y est, c'est fait. J'ai le truc dans la tête! Œil-de-Lynx au niveau sept, en train de fourrer sa langue dans la bouche d'un individu qui m'a tout l'air d'être Herr Kamyer en short de daim à bretelles. Beurk! Beurk! Sortez tous de ma tête!!!

J'ai balancé mon béret et mon manteau dans mon casier et je me suis précipitée dans le préau. Tout le monde était là : Rosie, Ellen, Jools et Mabs, autrement dit le Top Gang. Comme d'hab', j'ai fait le salut Klingon aux copines mais elles me regardaient toutes avec des yeux effarés comme si c'était la première fois qu'on se croisait. Auraient-elles déjà oublié tout ce que nous avions vécu ensemble? J'ai senti une pression sur mon épaule. C'était la pince d'Œil-de-Lynx. Qu'est-ce qui se passait encore? La buse me fixait par-dessus son nez crochu en sifflant comme une vieille buse :

– Prenez ça. Tâchez de vous rendre présentable et revenez ici aussi vite que possible, petite sotte.

J'ai regardé ce qu'elle me tendait et devinez quoi?

C'était un peigne. En entrant dans les cabinets, j'ai compris tout de suite le problème. Grâce au gel méga fixant que je m'étais collé sur la tête, mes cheveux avaient pris la forme du béret et j'avais comme une sorte de touffe écrasée sur le crâne. *Sacré bleu!* Je me sens très *la cornichon.*

9 h 00 Après réparation des dégâts cheveux, j'ai repris ma place habituelle entre Rosie et Jas. Notre bien-aimée dirlo, dite Fil-de-Fer en raison des huit tonnes cinq qu'elle affiche sur la balance, se hissait tant bien que mal sur l'estrade quand Rosie m'a soufflé :
– Nom d'une culotte en nylon, elle a le menton couvert de mentons !

Tout le collège luttait désespérément contre le sommeil à l'énoncé des joyeusetés qui nous attendaient au cours du trimestre à venir. Des contrôles en veux-tu en voilà (youpi !), une compétition sans merci orchestrée par Herr Kamyer entre la physique et les langues modernes (trop génial ! ! !), une sortie au lac District (top cool ! !)...

Chaque fois que Fil-de-Fer annonçait une nouveauté, Rosie et moi marquions notre ravissement en applaudissant joyeusement. Mais Œil-de-Lynx nous a fait le regard qui tue et on a stoppé net. Ça vous fait froid dans le dos, ce machin-là.

Récré

11 h 00 Réunion avec le Top Gang derrière les courts de tennis. En passant devant la cabane d'Elvis Attwood, le gardien de collège le plus mal luné de la terre, on s'est fait fraîchement recevoir.
– Je vous ai à l'œil. Ne vous avisez surtout pas de venir fouiner dans ma loge sinon je vous garantis que vous aurez des ennuis.

Ce type-là est furieusement givré. Un jour, il était à son cours de twist où il faisait une démonstration de ses talents devant un public extasié quand son dos a lâché. Bingo! L'infortuné twisteur avait gagné un voyage express aux urgences et le très joli surnom d'Elvis, qui ne le quitte plus depuis ce jour mémorable.

J'ai agité la main vers le roi de la piste en hurlant à mon tour:

– Salut à toi, ô cinglé d'entre les cinglés.

À peine étions-nous assises par terre qu'on râlait déjà comme des folles. Figurez-vous que comme c'est maintenant l'habitude dans ce repaire de fascistes, nous avons été séparées en classe. Interdiction absolue de s'asseoir à côté. Et, bien sûr, j'ai hérité de l'abjecte Pamela Green, ma «super copine». Les lunettes de l'Abjecte ont des verres épais comme des tessons de bouteille. Faut bien l'avouer, ce n'est vraiment pas de chance d'autant que ça lui fait des yeux carrément globuleux.

Rosie:

– Je me demande s'il y a pas du poisson rouge dans le patrimoine génétique de cette créature.

Jas nous offrait une vue plongeante sous sa jupe tandis qu'on se tapait quelques friandises reconstituantes.

Moi:

– Dis-moi, tu mets toujours des culottes méga couvrantes? Tu n'as pas peur qu'un petit chien se faufile à l'intérieur sans que tu t'en aperçoives?

– J'aime bien être confo.

– On a déjà fait plus sexy, non?

– T'étais la première à dire que les petites culottes étaient ridicules. T'as oublié les strings de Lindsay?

– Tais-toi! Ne me parasite surtout pas la tronche avec des strings. Tu sais très bien que je visualise tout. Tu ne crois pas que c'est déjà suffisant d'avoir Œil-de-Lynx et Herr Kamyer en train de se rouler des pelles dans ma tête, sans me refiler en prime Lindsay la Nouillasse en string !

Ellen :

– Des nouvelles au rayon Robbie ?

J'ai exposé mon plan glaciosité et maturosité et tout le monde a acquiescé avec philosophie. Nous sommes une bande bourrée de philosophitude. En tout cas, je suis sûrement plus philosophe que Dieu. Lui est rigoureusement incapable d'accéder à une demande même modeste. Ce qui explique que je me sois tournée vers Bouddha.

Rosie a gâché notre moment de philosophitude en crachotant quelques bouts de crackers au fromage pour sortir :

– Nom d'une culotte à pois, de quoi vous parlez ?

16 h 45 À la fin de cette journée inoubliable, Elvis m'a obligée à ramasser un papier de bonbon qui traînait par terre. Tout ça parce que je faisais mon excellente imitation de lui-même en personne en train de danser le twist avec le dos qui se barre en sucette. S'il ne veut pas que les gens se paient sa tête, il n'a qu'à rester chez lui. Ce n'est qu'un vieux fasciste acariâtre. Je suis sûre que c'est lui qui jette les papiers de bonbons par terre. Exprès.

17 h 05 Jas m'a appelée tout excitée, en haletant comme un vieux boxer asthmatique.

– J'ai reçu deux lettres de Tom.

– Il n'est jamais qu'à Birmingham.

– Je sais, mais… heu… tu vois, quoi.

Non, je ne vois pas.

17 h 15 Retour de Libby et Mutti. Libby a fait sa rentrée au jardin d'enfants, ce qui, de mon point de vue, est une excellente chose dans la mesure où elle risque d'être moins folle.

94

17 h 16 Erreur. Libby m'a fabriqué quelque chose au jardin d'enfants qu'elle est en train d'essayer de m'enfoncer sur le crâne.

– Du calme, Libby. Sois gentille avec ma tête. Dis-moi ce que tu m'as fait ?

– Très chou !!

– Je n'en doute pas, mais qu'est-ce que c'est ?

Libby m'a regardée à deux millimètres de la figure comme si j'étais atrocement demeurée et elle a articulé très lentement :

– Pour serviette !!!!!

– Pour ma tête ?

Et pan ! un coup sur la tronche.

– Non, non, non, vilain garçon... pour SERVIETTE !

Intervention de maman.

– Voyons, Georgie, Libby t'a fait un rond de serviette.

– Alors, pourquoi elle essaie de me l'enfoncer sur la tête ?

– Je crois qu'elle s'est un peu mélangée. Elle a dû penser que la maîtresse disait serre-tête.

Et là, Mutti est partie d'un grand éclat de rire, comme je vous le dis. Libby, très contente, lui a emboîté le pas et moi, je suis restée comme une idiote avec mon truc sur la tête.

19 h 00 Je ne vois vraiment pas ce qu'il y a de drôle. Primo, je peux faire une croix sur l'amour et, deuzio, ma vie ressemble à une imposture de fac-similé de grosse farce.

19 h 15 Tout n'est pas perdu, j'ai un rond de serviette.

20 h 00 Je me console en prenant soin de mon corps et de mon esprit. L'esprit, je le nourris avec une saine lecture (un article sur le mascara) et le corps avec BEAUCOUP de chocolat.

21 h 00 Résultat des courses, je ne suis pas bien du tout et, en prime, je me sens grosse, mais très bien informée sur le plan mascara. Ce qui est indéniablement un plus.

Mercredi 15 septembre

Rassemblement

9 h 00 Je me demande si la Mère Fil-de-Fer ne prend pas des cours du soir en ennui mortel. La pauvre femme est intarissable sur le sujet gens minuscules à toutes petites têtes à moins qu'elle parle de pauvres, je serais incapable de vous dire. Ça n'intéresse personne de toute façon. À quelques exceptions près. Possible que je me penche à nouveau sur le sujet avec intérêt dans un avenir lointain mais au jour d'aujourd'hui et à l'heure qu'il est, toute mon intéressitude est monopolisée par moi.

Éducation religieuse

10 h 00 En dépit de la tragédie que je vis, j'ai réussi à reprendre du poil de la bête en cours d'éducation religieuse. Honnêtement, Mlle Wilson vient tout droit de la planète des gravement atteints. Non mais où est-ce qu'elle trouve ses collants ? Une certitude, ce n'est sûrement pas dans un magasin normal. Je pencherais plutôt pour un fournisseur d'accessoires pour cirques. Mlle Wilson a des collants tellement épais et tellement plissés qu'on dirait qu'ils ont déjà été portés par un éléphant. Si ça se trouve, c'est la Mère Fil-de-Fer qui lui refile ses vieilles paires.

Rosie m'a fait passer un mot : *Ma Gee, demande à mademoiselle Wilson si Dieu a un pénis.*
Vu mon état, je ne sais pas comment j'ai réussi à me fendre la poire. Évidemment, Mlle Wilson s'en est aperçue et elle m'a fait :
– Qu'y a-t-il de si drôle, Georgia ? Ça vous ennuierait de faire partager votre hilarité à vos camarades ?
– Ben, voilà, mademoiselle... Je me demandais si Dieu avait...
Rosie était comme deux ronds de flan.
Mlle Wilson, très touchée par ma curiosité religieuse, m'encourageait :
– Continuez, Georgia. Vous vous demandiez si Dieu avait...
– Si Dieu avait un... goupillon ?
Trop dommage, Mlle Wilson n'a pas saisi tout le sel de la chose et elle s'est embringuée dans un exposé sur le fait que Dieu n'était pas vraiment un type assis sur un nuage dans le ciel avec un goupillon à la main mais plutôt une entité spirituelle. Inutile de me rappeler qu'il n'y avait pas de type assis dans le ciel, je le savais trop bien. Chaque fois que j'essaie de lui parler, je me fais envoyer balader. Si seulement Mlle Wilson s'était donné la peine de me le demander, je lui aurais révélé que j'étais devenue bouddhiste zen en raison de l'indifférence de Dieu.

13 h 15 Qu'est-ce qu'il a au juste, Elvis ? On était en train de râler innocemment avec Jas derrière le bâtiment des sciences quand le vieux croûton s'est pointé, les oreilles follement agitées par le vent, en train de délirer à plein régime.
– Qu'est-ce que vous mijotez toutes les deux ?
– Rien du tout.
– Ça ne prend pas vos « rien du tout ». Je vous connais. Je suis sûr que vous êtes allées fourrer votre nez dans ma loge.

Non mais qu'est-ce qui lui prend ? Et est-ce que quelqu'un peut m'expliquer pourquoi ce type porte toujours des chapeaux atrocement plats ? Très forte probabilité qu'il ait la tête comme une crêpe. On a fini par décamper avec Jas. Ça lasse.

Moi :
– Il est total bloqué sur sa cabane, ma parole. Tu peux me dire pourquoi il n'arrête pas de répéter qu'on passe notre temps à aller dedans ? C'est une obsession ou quoi ? On dirait un perroquet avec son couplet paranoïaque.

Pas de réponse de Jas.
– Non mais donne-moi une raison. Je ne m'explique pas pourquoi ce type ne cesse de nous accuser de fouiner dans sa cabane merdique. Vas-y, dis-moi pourquoi ?
– Parce qu'on le fait.
– Et alors ?

17 h 00 Dans la chambre de Jas. Elle est descendue à la cuisine me préparer un bon petit quatre-heures (du roulé à la confiture) pour me remonter le moral même si la vie n'a plus de saveur pour moi.

17 h 03 Dieu que sa chambre est rangée ! Furieusement rangée. Elle a aligné ses jouets en peluche sur son lit par ordre décroissant. Je vais les mélanger un peu, histoire de rigoler. Réflexion faite, je ne suis pas sûre à cent pour cent que Jas soit sensible à ce genre d'humour. Je ne sais pas si vous vous rendez compte mais elle a une boîte avec écrit « lettres » dessus. Pourquoi pas un tiroir avec une étiquette « culottes méga couvrantes » ? À l'intérieur de la boîte « lettres », il y a des lettres. Sans doute des lettres personnelles, si on daigne se référer à la mention « personnel » écrite dessus. Si ça se trouve, ce sont des lettres de Tom. Très personnelles et très intimes, donc. Je ferais mieux de les remettre à leur place.

17 h 16 Elle l'appelle CRAQUOS!!!! C'est dramatiquement désopilant!!! *Absolutemento lamen-*
tablo!!! CRAQUOS!!!! Tom!!!! Hahahahahahahaha.

17 h 18 Il l'appelle Po!!!! Comme le personnage des
Teletubbies. Nom d'un fox à poil dur, c'est total
pathétique.

17 h 19 Po!!! Non mais on rêve!

17 h 20 Mes lèvres resteront hermétiquement closes
sur *la sujet* Craquos et Po.

17 h 21 Même si c'est atrocement hilarant, je ne dois
jamais, au grand jamais, faire allusion à
Craquos et à Po.

17 h 23 Quand Jas est remontée de la cuisine, je lui ai
fait:
– Alors, comment va Craquos?

Dans ma chambre

19 h 00 Jas ne me parle plus sous prétexte que j'ai mal-
encontreusement mis la main sur des lettres
personnelles qui lui appartenaient... Cette fille est trop
susceptible.

22 h 30 Et excessive.

8 h 20 En route pour le collège. Quand je suis arrivée à l'endroit où on se retrouve d'habitude, Jas était déjà partie. Elle trottait loin devant comme une dératée. J'ai hurlé :

– Attends-moi, Po ! ! !

Mais elle m'a ignorée.

Honnêtement, ce que les gens peuvent se prendre au sérieux quand ils ont un soi-disant copain.

D'une certaine façon, c'était plutôt marrant de lui filer le train. Au début, elle fonçait style je fonce mais ce n'est pas la fille en top condition physique. Le seul exercice auquel Jas se livre, c'est hisser une tranche de roulé à la confiture jusqu'à sa bouche et la fourrer dedans. Total, elle s'est fatiguée très vite et j'ai pu la rattraper. J'ai fait exprès de rester à cinquante centimètres derrière elle. Ça la rendait total dingue d'autant qu'elle ne pouvait rien dire, vu qu'elle ne me parlait plus.

À la grille du collège, j'avais son béret quasi dans le pif.

Au rassemblement, Jas a essayé de se débarrasser de moi en se mettant à côté de Rosie mais, super finaude, j'ai réussi à me glisser entre elles deux et je l'ai regardée carrément à deux millimètres de la tronche. Très colère, la fille ! Elle était plus rouge que rouge, oreilles comprises. Hi ! Hi !

11 h 00 Suivi Jas aux toilettes. Me suis installée dans le cabinet d'à côté.

– Jas, je t'aime.

– Qu'est-ce qui te prend ? Tu es maboule ou quoi ?

– Non, Po, c'est toi qui es maboule.

– Tu es dégueulasse d'avoir lu mes lettres perso.

– Attends, ce ne sont que des lettres de Craquos.

– Ça se fait pas de lire les trucs perso.

– Ah oui et comment je serais au courant, alors ?

Silence perplexe de l'autre côté du mur, puis :

– Je comprends pas.

Un peu de pédagogie pour les ralentis du bulbe.

– Exemple, si j'avais pas lu les lettres, j'aurais jamais su que tu t'appelais Po.

Moins une qu'elle se faisait avoir.

– Oui, mais bon, c'est pas le sujet...

– Normalement, on a pas de secrets pour sa meilleure copine.

– Tu exagères, tu en as des secrets, toi.

– Archifaux. Je t'ai même raconté mon histoire de bouts de seins qui pointaient.

– D'après Tom, c'est le froid qui les a fait pointer.

Dites-moi que je rêve. La cloche a sonné pour annoncer la fin de la récré, Jas a tiré la chasse d'eau et elle est sortie des cabinets. Je me suis précipitée comme une bombe à sa suite.

Dans le couloir.

– Tu as raconté à Tom que mes bouts de seins pointaient ? ? ? ? ?

Trop dingue, je ne pouvais pas y croire. Mes bouts de seins avaient été l'objet de la risée publique ! ! ! ! J'étais tellement outrée que je n'ai pas remarqué Lindsay la Nouillasse en grande conversation avec une malheureuse troisième (même s'il ne m'a pas échappé qu'elle avait l'air d'une chouette en uniforme).

J'étais toujours derrière Jas. Ivre de rage.

– Tu as discuté de mes bouts de seins avec Craquos. J'arrive pas à y croire !

Et là, qu'est-ce que j'entends derrière moi ? Lindsay la Nouillasse :

– Georgia, ta jupe est restée coincée dans ta culotte. Je ne pense pas que ce soit un très bon exemple à donner aux plus jeunes.

Et là, la chouette s'est mise à ululer dramatiquement comme seules les chouettes savent le faire.

17 h 00 Dans mon bain.
Ce coup-ci, ça y est, la hache de guerre est déterrée. Me voilà seule au monde. Je n'ai plus de copines. Ma prétendue meilleure amie me préfère son Craquos avec qui elle discute des parties intimes de mon corps. Si ça se trouve, le Craquos en question en parle à son tour à son frère aîné et ils se tordent de rire tous les deux.

17 h 15 Angus est assis sur le bord de la baignoire. Il est en train de laper l'eau du bain alors que j'ai mis une tonne de mousse dedans. Il a les moustaches couvertes de bulles.

17 h 20 Maintenant, c'est au tour de Libby d'entrer dans la salle de bains. Mais allez-y, ne vous gênez surtout pas. Plus on est de fous plus on rit ! Je ne fais que prendre un bain. Nue. Je suis même étonnée que M. et Mme Porte-à-Côté ne profitent pas de l'occasion pour venir se rincer l'œil.
– Non, Libby, non. Ne pousse pas Angus comme ça sinon il va…

17 h 21 Angus est total trempé et ça le met hors de lui. Il m'a déchiqueté la main quand je l'ai sorti du bain. Libby est morte de rire. Vous appelez ça une vie ?

18 h 00 Coup de fil de Jas.
– Qu'est-ce que tu veux, Miss discuteuse de bouts de seins ?
– Écoute, Georgie, si on disait qu'on était quittes. Moi, je passe l'éponge sur l'incident Craquos et toi, tu oublies l'affaire tétons.

J'étais de trop mauvaise humeur pour capituler, alors, j'ai fait :

– Humm.

Mais quand elle m'a sorti la suite, j'étais méga concentrée :

– Tom m'a appelée pour me dire que les Stiff Dylans jouaient au Crazy Coconut mercredi prochain. ET TU SAIS QUOI ? Il paraît que Dave la Marrade y sera. ET TU SAIS QUOI ? Ma mère dort chez ma tante à Manchester ce soir-là.

18 h 02 En train de réfléchir.

18 h 05 En train de réfléchir en mangeant des corn flakes. Hmmmm.

18 h 07 Nous y voilà ! ! ! ! Je tiens enfin l'occasion de passer aux travaux pratiques en matière de théorie de l'élastique. Il faut que j'aille à ce concert des Stiff Dylans et que je sorte avec Dave la Marrade sous les yeux de Super-Canon. Je ferai ainsi d'une pierre deux coups. Premier coup : la maturosité (je fréquente les boîtes de nuit) et deuxième coup : la glaciosité (je sors avec un autre garçon). Ça va rendre Super-Canon dingue de jalousie et il reviendra vers moi à toute blinde (la théorie de l'élastique).

23 h 00 Il faut que je me mette dare-dare à amadouer Mutti pour qu'elle ne se doute de rien quand je lui demanderai d'aller dormir chez Jas mercredi.

Le week-end
Le matin

10 h 00 Maman a failli lâcher Libby quand je lui ai sorti :

– Dis, maman, je vais en ville cet après-midi, tu veux que je te rapporte un truc ?

– Pardonne-moi, mon cœur, j'ai cru un instant que tu proposais de faire quelque chose pour moi. Qu'est-ce que tu disais exactement ?

Je mourais d'envie de la gifler à tour de bras mais je me suis scotché le sourire qui tue sur la tronche et j'ai poursuivi.

– Tu exagères. Comme si je ne faisais jamais rien pour toi !

Méga soupçonneuse d'un coup, la mère.

– Qu'est-ce que c'est que ce sourire ? Qu'est-ce que tu m'as encore pris ? Si jamais c'est mon collier en or, je te tue.

Là, forcément, j'ai pété les plombs.

– Non, mais qu'est-ce que tu as à la fin ? Comment veux-tu que je sois gentille si tu passes ton temps à me soupçonner ? C'est quoi au juste ton boulot, mère ou chien policier ? Tu n'as qu'à me faire une fouille au corps chaque fois que je sors de la maison pendant qu'on y est ? Honnêtement ! ! ! ! !

Puis, dans un éclair de culotte à rayures, je me suis rappelé l'Opération Élastique et j'ai levé le pied.

– Je pensais juste que tu voudrais peut-être que je te rapporte un truc. Je sais que tu as jamais le temps, c'est tout.

Il me semble qu'au bout du compte elle a été convaincue de ma sincérité mais on ne peut pas gagner sur tous les tableaux, je dois lui rapporter des culottes à élastique pour Libby. Youpi !! Quand je pense à tous les sacrifices que je fais pour Super-Canon ! J'ai presque oublié à quoi il ressemblait.

10 h 05 Je viens de me souvenir. Snack, snack, snack.

13 h 00 Dans la cabine d'essayage de Miss Selfridge. J'essaie un T-shirt taille trente-quatre dans lequel je ne rentre pas. Jas (super fort) :
– Ce coup-ci, faut se rendre à l'évidence, t'as les seins qui ont méga poussé !
Précision : cela se passe dans une cabine commune pleine comme un œuf où tout le monde me regarde.
– Écoute, Jas, je crois qu'il y a un type en Australie qui n'a pas bien entendu ce que tu as dit. Tu peux répéter ?
Rosie et Ellen nous ont retrouvées au café Luigi où j'ai tenu conférence-débat sur mon plan *le attaque* de Dave la Marrade. Rosie et Ellen avalaient la mousse de leur cappuccino à la cuillère avec des grands slurp. C'était comme écouter du slurp en stéréo ! Dix ans plus tard, Rosie me faisait (avec la cuillère dans la bouche, ce que j'ai trouvé total antisexe mais je l'ai laissée dans l'ignorance)... bref, elle me faisait :
– Si j'ai bien compris tu vas aller voir les Stiff Dylans au Crazy Coconut pour sortir avec Dave la Marrade et transformer Super-Canon en élastique, c'est bien ça ?
Dieu du ciel que la vie est difficile !!! Trop difficile. J'ai répondu à Rosie avec un max de patience (c'est-à-dire, sans la frapper) :
– Oui, oui, oui. Trois fois oui !!!!!
Et on était reparties pour de nouveaux slurp. C'était clair que Rosie réfléchissait à mort à mon coup de maître (ou plutôt de maîtresse puisque c'est moi qui l'ai inventé et

que jusqu'à preuve du contraire, je suis une fille). Au bout d'un million de slurp, elle m'a fait :
– Dis, tu me prêtes tes bottes marron ?

16 h 00 De retour à la maison avec les foutues culottes antifuites de Libby. Très calmes, les pénates. Où sont-elles encore passées ?

21 h 30 Tôt couchées, tôt levées, font les... machin-choses.

22 h 00 Pas impossible que je mette des faux cils pour la soirée Crazy Coconut mais j'ai intérêt à faire gaffe. La dernière fois que j'ai voulu en mettre, le tube de colle m'a éclaté à la figure et j'ai eu les yeux scotchés vingt bonnes minutes.

Mardi 21 septembre

16 h 15 Journée mortelle si on oublie la très belle pres-tation de Lindsay la Nouillasse qui s'est pris les pieds dans son sac et qui a dévalé tout l'escalier du bâti-ment des sciences sur le derrière.

23 h 00 Libby est dans mon lit. Je ne m'explique tou-jours pas pourquoi cette petite fille n'arrive pas à dormir dans le bon sens. Elle n'arrête pas de me fourrer ses pieds dans l'œil.

23 h 10 Je me demande à quoi ressemble Dave la Marrade.

Récré

11 h 00 Ellen m'a raconte que son frère avait créé une « patrouille des minous » avec ses potes.
– Ah bon, je savais pas que ton frère aimait les chats ?
– Percute, Georgie. La patrouille des minous, c'est mon frère et ses potes quand ils partent à la chasse aux souris... aux poulettes... aux filles quoi.
Dieu me tripote.

Déjeuner

12 h 30 Ellen dit que son frère appelle les seins des « nunga-nunga ».
Je sais que je n'aurais pas dû demander mais je n'ai pas pu m'empêcher.
Ellen :
– Il dit comme ça que si tu tires sur un sein et que tu le laisses revenir en arrière d'un coup sec, le sein fait nunga-nunga.
Ça se confirme, deux options semblent s'offrir à moi : le célibat ou la lesbiennité.

Récré

14 h 30 On est dans les toilettes avec Ellen, chacune assise dans un cabinet avec les pieds contre la porte pour ne pas se faire repérer par les Jeunesses hitlériennes (les surveillantes) qui s'empresseraient de nous envoyer baguenauder sous la pluie torrentielle qu'elles qualifient honteusement de « légère averse ». Je crois qu'elles s'en tiendraient à leur version même si les sixièmes étaient emportées par une déferlante ou que la cabine d'Elvis bondissait sur les flots avec une voile sur le toit ou que... bref, on se tamponne de ce qu'elles disent.

Moi à Ellen à travers le mur :

– Dis-moi, ton frère serait pas un peu fêlé par hasard ?

J'ai entendu des chips craquer, ce qui prouvait qu'Ellen réfléchissait.

– Non, je crois pas. En fait, il me fait plutôt marrer. Quant il va aux cabinets, il dit qu'il va au « service pipi et Cie ».

Elle riait toute seule comme une cinglée. Moi, je fixais la porte en attendant que ça se passe. Deux ans plus tard, elle retrouvait son calme.

– Et tu sais quoi ? Si jamais il va aux cabinets pour faire la grosse commission, il dit comme ça : « Vous m'excuserez, faut que j'aille à l'institut du popo. »

Là, j'ai cru qu'elle allait s'étouffer. *Sacré bleu*. Je suis entourée de *les aliénés*.

15 h 30 Quand il fait froid, le désopilant frère d'Ellen dit qu'il fait « frisquet de la nouille ».

16 h 15 Sur le chemin du retour, j'ai réfléchi aux différences qui séparent les garçons des filles. Par exemple, quand on rentre du collège avec les copines, on met du rouge et on se remaquille. On tchatche. Quelquefois, on fait les bossues, mais ça s'arrête là. Conclusion, un comportement normal. Ce qui n'est pas le cas des garçons de Foxwood. Eux, quand ils sortent du collège, ils n'arrêtent pas de se filer des gnons, de se faire des crocs-en-jambe, de bourrer le fute de leurs copains de feuilles ou de casquettes. Et Ellen m'a même dit qu'à l'occasion son frère mettait le feu à ses pets.

On est passées par le parc qui a malheureusement son Elvis à lui. Ce gars-là est censé surveiller le parc mais ses activités se bornent essentiellement à triturer des trucs avec un bâton. Ah, j'oubliais! Il a un deuxième boulot qui consiste à hurler «Je vous ai vus!» à de malheureux bécoteurs cachés dans les buissons.

On est restées un moment sur les balançoires exprès pour embêter l'Elvis des parcs et jardins. Rosie (qui soit dit en passant est devenue ex-fumeuse depuis l'affaire de la frange carbonisée) nous a annoncé qu'elle s'était rabibochée avec Sven, son copain suédois. Elle avait rompu avec lui parce qu'il avait sorti à ses parents : « Merci pour votre fille, elle... Comment vous dites déjà? Ah, *jah*... elle embrasse du tonnerre!»

Moi :
– Comment tu sais qu'il regrette? Personne ne comprend ce qu'il dit.

Rosie :
– Il m'a tricoté un chauffe-nez.

C'était bien la peine de demander, tiens!

Ellen :
– Au fait, Gee-Gee, qu'est-ce qui se passe avec Dave la Marrade?

– Qu'est-ce que tu veux qui se passe?

– Ben, est-ce qu'il te plaît, déjà?

– Comment veux-tu que je sache, je ne l'ai jamais vu.

– Ben, pourquoi tu veux sortir avec lui, alors?

– Tu es bouchée ou quoi? Dave la Marrade, c'est le truc qui me sert à... faire la Chèvre dans mon plan élastique.

Pleins feux sur Georgia. Ce n'était vraiment pas la peine qu'elles me regardent comme si je savais de quoi je parlais parce que j'étais bien la dernière à le savoir, croyez-moi!

16 h 30 Dans ma chambre supposée personnelle. Angus est dans mon lit et j'ai la vague intuition qu'il n'est pas tout seul. Je n'ose soulever le drap de peur de me retrouver nez à nez avec une tête de cheval coupée comme je l'ai vu une fois dans un film.

18 h 07 Suis allongée par terre sur des coussins alors qu'Angus est comme un pape dans mon lit.

Après tout, c'est ce qui compte. J'ai lu dans le *Cosmo* de Mutti qu'avec « le bouddhisme, on accédait à un nouvel optimisme ».

OK, d'accord. J'adopte la philosophie. À partir de tout de suite là, vous pouvez me compter parmi les bouddhistes hilares. Om. Hahahahahaha. Om.

Lundi 27 septembre

Gym

14 h 50 Il pleut et il y a un vent à décorner les bœufs. Naturellement, ces deux facteurs impliquent que Mlle Stamp, notre prof (qui est décidément une réincarnation d'Hitler en jupe... elle a même la petite moustache noire)... Bref, je disais, ces deux facteurs impliquent qu'Adolfa a décidé qu'il n'y avait rien de mieux à faire... que de jouer au hockey dehors ! ! ! ! ! Elle va voir ce qu'elle va voir. Je vais écrire aux journaux pour me plaindre, mais avec le bol qui me caractérise je me serai sans doute noyée sur le terrain de hockey avant.

Au lit

21 h 30 Brrrrrr ! À tous les coups, j'ai chopé une pneumonie. Total, je vais mourir sans avoir atteint le niveau dix avec un garçon. C'est la faute d'Adolfa. Tout ça parce que cette chose n'a pas de vie. Je commence tout juste à recouvrer des sensations du côté du popotin.

22 h 30 Quand Mutti est montée m'embrasser, j'en ai profité pour lui glisser l'air de rien :
– Dis, maman, je pourrai rester dormir chez Jas mer-

110

credi ? Sa mère a dit qu'elle était d'accord si toi, tu l'étais. On doit faire un exposé de physique... Je veux dire, Jas et moi, pas sa mère. Ce serait idiot.

(Tais-toi, maintenant. Arrête ! Si tu continues à blablater, elle finira par se méfier et tu sortiras une énormité.)

– Écoute, Gee, d'habitude tu ne fais pas tes devoirs. Tu as changé d'avis sur la question ?

– Hahahahahahaha... C'est vrai... (tout doux, bijou, t'emballe pas. Ne dis surtout pas de bêtise)... C'est juste que je me disais que je pourrais peut-être bien faire physicienne quand je serai grande. (Trop tard. Là, si elle ne pige pas la combine, c'est qu'elle est total demeurée.)

– Physicienne... Tu abandonnerais ta carrière de choriste ?

– Non.

– Hmmmmm.

– Je peux, alors ?

– Allez, oui, d'accord. Dors maintenant.

Gagné ! ! ! ! ! ! ! ! ! ! ! Yesssssssssss ! ! ! ! ! ! ! ! !

Mercredi 29 septembre

Opération Élastique
Dans la cuisine

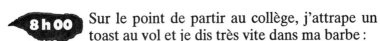 **8 h 00** Sur le point de partir au collège, j'attrape un toast au vol et je dis très vite dans ma barbe :

– Faut que j'y aille, Mutti. À demain soir.

Maman n'a pas sourcillé. Elle a continué à essayer de ficeler Libby dans sa salopette alors que ma petite sœur avait son bol de porridge sur la tête.

Mutti :

– Entendu, ma chérie. Embrasse ta sœur pour lui dire au revoir.

– Très peu pour moi, merci.

111

À mon plus grand dam, il m'est déjà arrivé d'embrasser Libby quand elle vient de manger son porridge et donc, je n'avais pas la plus petite intention de renouveler l'expérience. Je lui ai envoyé un baiser.

– Au revoir, ma Libby.

Ouf! Et maintenant, dehors. Victoire!!!!! Mon maquillage et ma tenue spéciale discothèque sont dans mon sac à dos. Opération Élastique, gare à toi!

J'étais presque arrivée au portail quand j'ai entendu Mutti hurler du pas de la porte :

– Qu'est-ce que c'est que cette histoire de demain soir? Ohnonohnonohnonohnonohnonohnon.

J'ai ri en prenant l'air méga dégagé (plutôt hyène méga dégagée, par le fait).

– J'étais sûre que tu oublierais. Je dors chez Jas ce soir. Tu te rappelles?

Pas la plus petite réaction, côté mère.

J'ai crié dans ma tête : «LAISSE-MOI PARTIR!!! TAIS-TOI. TAIS-TOI! IL FAUT QUE JE RÉCUPÈRE SUPER-CANON. LAISSE-MOI PARTIR. LAISSE-MOI PARTIR. TU AS EU TA CHANCE DANS LE TEMPS, CHACUN SON TOUR, À MOI MAINTENANT!!!!» Mais en vrai, je lui ai fait :

– Mutti, faut que j'y aille. Je vais être en retard. À demain.

Yesssss!!!!!! Je suis *la concombre géniale* ou plutôt *la glaçon de la génie*.

15 h 50 Dernière sonnerie. On a dévalé la côte en moins de deux. Plus que cinq heures pour se préparer.

Tout en courant comme une dératée, j'ai sorti à Jas :

– Si tu avais vu ma mère ce matin, elle était trop soupçonneuse quand je lui ai rappelé que je dormais chez toi ce soir. C'était carrément dément, on aurait dit qu'elle ne

me croyait pas. Genre, comme si je passais mon temps à mentir.
– Ce qui est le cas.
– Faut toujours que tu cherches la petite bête !

Chez Jas

17 h 00 Repas nourrissant pour affronter en beauté la soirée qui nous attend : chips passées au four, mayonnaise et roulé à la confiture (pour la vitamine C). De retour dans la chambre de Jas, on a mis de la « dance » à fond la caisse et on commençait à se préparer quand Jas a sombré dans une dépression passagère en voyant la photo de son Tom posée sur sa table de nuit. On était reparties pour le bureau des pleurs.

– Écoute, Gee, je crois que je n'ai vraiment pas le cœur à sortir.

J'ai agité ma brosse à mascara.

– T'oublies ça tout de suite. Tu sais très bien que Craquos voudrait que tu sortes. N'oublie pas que c'est lui qui a appelé pour te parler de la soirée. Jamais il ne supporterait que tu te morfondes toute seule à la maison en laissant tomber tes copines. Et je te signale qu'il apprécierait moyen de te retrouver poignardée à coups de brosse à mascara.

Elle a continué à bouder mais elle avait saisi le topo et a commencé à se coiffer.

– Qu'est-ce que tu as décidé de faire avec Dave la Marrade quand tu l'auras emballé ?

– Qu'est-ce que tu veux dire ?

Je cherchais à gagner du temps. Je n'avais pas réfléchi beaucoup plus loin que le maquillage dont je projetais de me tartiner la tronche. Au-delà de cette perspective, tout se perdait dans une espèce de brouillard rose.

– Ben, tu crois que tu voudras être sa copine ? Tu comptes l'embrasser ?

Heureusement pour moi, le téléphone a sonné. On s'est précipitées toutes les deux. C'étaient Rosie et Sven qui appelaient d'une cabine téléphonique.

Rosie :

– J'appelle juste pour dire qu'on vient d'inventer une danse trop géniale, « la danse de la cabine ».

Et juste après, on a entendu une radio qui hurlait contre le combiné et dans le fond, plein de grognements et de bruits de pas et Sven qui criait : « *Oh jah, oh jah,* allez-y les gars ! » ou un autre truc en suédois, ou dans un autre dialecte. Qu'est-ce que j'en sais, moi, ce qu'il parle ? On peut dire globalement que c'est un genre de charabia qui n'a carrément rien à voir avec l'anglais. Ensuite, dans le téléphone, il y a eu un truc qui ressemblait à des claquettes puis Rosie a repris le combiné en soufflant comme un phoque.

– Génial, non ? À plus au paradis... Ne soyez pas en retard ! ! !

Et pof, elle a raccroché.

21 h 15 On file pour attraper le bus qui nous emmène au Crazy Coconut. Je me suis tellement maquillée que j'ai un mal fou à bouger les joues. À noter que dans mon cas, c'est un avantage certain. Grâce à ma méga couche de fond de teint, il y a peu de chance pour que je me laisse aller à des fantaisies de sourires intempestifs. J'en jette un max en cuir noir. Pourvu que maman ne fasse pas l'inventaire de sa garde-robe avant que je remette tout à sa place.

Quand le bus est arrivé, j'ai failli m'évanouir. Le chauffeur n'était autre que l'Elvis à moteur ! ! ! Trop dommage, l'ancêtre se souvenait de nous. Du coup, on a eu droit à un « *bon nuit, les demoiselles !* » et on a payé plein tarif.

21 h 30 On est arrivées en même temps que Sven et Rosie. Sven était en pattes d'eph' argenté (je vous demande un peu!). Dès qu'il nous a aperçues, le géant s'est mis à onduler de la hanche en hurlant :
– *Jah*, bouge, bouge ! Allez les poulettes ! ! !
La honte ! Tout le monde nous regardait dans la queue. J'ai glissé à Rosie :
– Dis-moi, il est vraiment obligé d'être aussi sveneux que ça ?
C'est là que le van des Stiff Dylans s'est garé devant la boîte et que Robbie est descendu. Oh, nom d'une pipe en bois ! Toute ma glaciosité a gravement fondu en gélosité.
– Salut, il a fait en nous voyant.
– Nung, fut ma réponse (ne me demandez surtout pas ce que ça veut dire, je n'en ai pas la moindre idée).
Alors que les gens commençaient à entrer, Super-Canon m'a regardée pendant un bon million d'années, ce me semble, et ensuite il a dit :
– Fais gaffe à ce qu'il ne t'arrive pas des bricoles.
J'étais verte. Comment osait-il me faire la leçon ? Il avait bien fait de me parler de bricoles, tiens ! Il allait voir ce qu'il allait voir. Question bricoles, il serait servi.
Super-Canon avait intérêt à se préparer à une démonstration de maturosité magistrale... à condition, bien sûr, que les videurs me laissent passer sans me demander mon âge. J'ai chuchoté à Rosie, Jas et Sven.
– Jouons-la discretos.
J'avais pas fini ma phrase que Sven me calait sous un de ses bras monumentaux format suédois, en hurlant aux videurs :
– *Gut* soir, un tien vaut mieux que deux tu l'as.
Et hop ! il est entré dans la boîte. Je ne sais toujours pas si les videurs nous ont laissé passer parce qu'on avait l'air

super mûres ou s'ils étaient tellement estomaqués par Sven qu'ils ne nous ont même pas remarquées.

Bref, l'Opération Élastique était lancée.

23 h 00 Toutes les filles ont foncé aux toilettes pour un raccord maquillage d'urgence. À l'intérieur, il faisait quasi nuit avec une lumière rouge méga tamisée. J'étais pile en train de me dire qu'avec les copines on assurait comme des pros quand les sœurs Craignos ont fait leur apparition en remuant méchamment du popotin. Jackie avait une robe ultra moulante, un choix pour le moins contestable quand on a le fondement qui s'expansionne. Vous verriez la vulgarité ! Et bien sûr elles fumaient. (*Quelque surprise !*)

– T'as vu ça, Alison, le Crazy Coconut a ouvert une crèche pour que les grands puissent aller s'éclater sur la piste tranquilles, a fait Jackie en s'engouffrant dans un cabinet.

Je ne vous raconte pas le pipi. Tout le monde en a profité. Si je ne l'avais pas vue entrer j'aurais vraiment pensé qu'il y avait une vache dedans. Pendant ce temps-là, Alison nous regardait sournoisement par en dessous et je me demande encore comment elle réussissait cette acrobatie avec la pustule géante qu'elle avait sur le nez. Sans blague, ça lui faisait comme un double pif.

La boîte était géniale. Plein d'escaliers partout qui descendaient jusqu'à la piste de danse et, tout au bout, la scène. En descendant des toilettes, j'espérais secrètement que personne ne s'avise de regarder sous ma jupe car, manque de bol de chez pas de chance, impossible de me souvenir de ce que j'avais mis au rayon culotte. Jas est à l'abri de ce genre d'inquiétudes avec ses machins méga couvrants.

Sur la piste, il y avait la totale : les stroboscopes, les boules en miroir, les rayons laser, tout. La musique était super forte et vachement dansante. Rosie et Sven nous ont fait une démonstration de leur « danse de la cabine », agrémentée de quelques hurlements du Scandinave, style « Woop ! Woop ! Allez-y les gars ! ». Les gens se garaient méchamment sur leur passage, personne n'ayant envie de se faire aplatir par un géant en pantalon argenté.

Jas m'a hurlé à l'oreille :

– Les copains de Tom sont au bar. Tu les vois ? Il y a sûrement Dave la Marrade dans le lot.

Jools :

– Ouais, mais c'est lequel ? Ils sont une tripotée.

Moi :

– Est-ce qu'il y en a qui rient ?

Regard stupide de Jools :

– Pourquoi ?

Moi :

– Parce que si ce type s'appelle Dave la Marrade, il y a forcément des gens qui rient autour de lui.

Vérification côté bar. Personne ne riait. En fait, les garçons regardaient ce qui se passait autour d'eux.

Une pensée m'a traversé l'esprit comme une fusée.

– Et s'il s'appelait Dave la Marrade parce que c'était lui qui riait tout le temps ?

Re-vérification côté bar. Tous les garçons étaient pliés en deux.

Pour une fois dans sa vie, Jas a pris les choses en main avec beaucoup de bon sens (c'était tellement nouveau que ça m'a fait froid dans le dos).

– J'en connais un. Il s'appelle Rollo, je l'ai déjà vu chez Tom. Je vais aller lui demander qui est Dave la Marrade.

Moi :

– D'accord, mais en finesse, Jas, d'accord ? L'idée, c'est d'identifier Dave la Marrade pour pouvoir le regarder. Pigé ? Pas question de faire allusion à quoi que ce soit devant lui !

– Je suis pas dingue.

Première nouvelle.

Jas est partie en mission chez les garçons. De loin, je la voyais qui tchatchait et qui tchatchait et vas-y que j'opine du bonnet et que je tripote ma frange (elle ne peut vraiment pas arrêter avec ça ? C'est horripilant à la fin). De mon côté, je faisais la fille méga zen avec combinaison foudroyante d'ébauche de sourire et marquage de rythme avec tête. De temps à autre, je sirotais une gorgée ou je faisais signe à des gens que je ne connaissais même pas. Huit ans après, Jas rentrait de mission, hors d'haleine. Et là qu'est-ce qu'elle fait ? Je vous le demande. Devant tout le monde, la voilà qui POINTE SON DOIGT en direction d'un brun en treillis noir, accoudé au bar.

– C'est lui !

Comme de juste, le brun la voit faire et hausse les épaules, style comme s'il posait une question. Et là, cauchemar tout debout, Jas se tourne vers moi et elle me MONTRE DU DOIGT en secouant la tête vigoureusement comme les chiens à tête dodelinante à l'arrière des voitures.

J'hallucinais grave. Et vous voulez savoir pourquoi ? Parce que ce qui m'arrivait était positivement hallucinant. J'étais aussi figée qu'un poisson pané surgelé, style glacée et affreusement pâle (mais sans la panure je vous rassure).

Sans desserrer les dents, j'ai soufflé à Jas :

– Je vais te tuer. Nom d'une culotte surdimensionnée, qu'est-ce que tu as dit là-bas exactement ?

Tout irritée d'un coup la missionnaire.

– J'ai fait : «Lequel est Dave la Marrade ?» et Rollo m'a fait : «C'est lui.» et Dave la Marrade a demandé pourquoi et j'ai juste dit : «Parce que tu plais un max à ma copine Georgia.»

Non seulement j'allais la tuer mais en plus je la mangerais.

Toujours les dents serrées vu que Dave la Marrade ne nous quittait pas des yeux, j'ai fait à Jas :

– Pince-moi, je rêve. Tu lui as dit qu'IL ME PLAISAIT. J'y crois pas.

– Si tu veux mon avis, il est plutôt mignon. D'ailleurs si je sortais pas avec Craquos, je crois bien que…

Je n'ai pas entendu la suite parce que Super-Canon et sa guitare traversaient la piste pour aller jouer le premier morceau. En passant, Super-Canon m'a souri. J'ai lutté à mort contre l'envie de me jeter dans ses bras telle une otarie et je l'ai ignoré. Mon regard l'a traversé comme s'il n'était rien d'autre qu'une guitare en apesanteur.

minuit Sur la piste avec Rosie, Sven et Jas en train de danser sur la musique des Stiff Dylans. Jools et Ellen ont disparu en compagnie de copains de Tom. Tout bien considéré, je dois reconnaître qu'ils sont assez craquants mais… il n'y a qu'un Super-Canon sur toute la planète. Il est trop beau. Ce n'est vraiment pas chic qu'il soit aussi séduisant. Les filles n'arrêtent pas de le regarder et dansent juste devant lui. Elles n'ont pas la moindre classe. Chaque fois qu'il fait une pause, il y en a toujours une qui se précipite pour lui tenir la jambe. J'ai bien essayé de ne pas regarder ce spectacle navrant mais impossible. Et si jamais Super-Canon sortait avec une greluche juste devant moi ? Je ne pourrais jamais le supporter. À un moment, nos regards se sont croisés et il m'a souri à nouveau. Ohhhhhhh, nom d'une culotte à frous-frous, il a vraiment tout ce qu'il faut là où il faut… de dos, de face, les cheveux, les dents… Je sentais mes muscles bécoteurs de lèvres avancer dangereusement mais je me suis reprise à temps et j'ai dit HALTE ! Pense Élastique, pense Élastique !

Histoire de décompresser un peu, j'ai demandé à Jas de m'accompagner aux toilettes. Les sœurs Craignos étaient toujours là ! On les entendait discuter d'un cabinet à l'autre

dans le nuage de fumée qui s'échappait sous les portes.
Juste une question. Est-ce que ces sous-êtres vivent dans
les goguenots ?
J'ai fait à Jas :
— Si ça se trouve les sœurs Craignos ont des problèmes
de tuyauterie côté institut du popo!!!
Fou rire de hyène hystérique immédiat. J'ai même été
obligée de taper dans le dos de Jas pour éviter qu'elle ne
s'étouffe. Et bien sûr, vous vous en doutez, double applica-
tion de mascara.
En revenant sur la piste, j'ai été arrêtée par Dave la
Marrade.
— Salut.
— Ah, salut, ai-je répondu brillamment avec ma célèbre
ébauche de sourire, et sans oublier de maintenir ferme-
ment mon nez à l'intérieur de ma figure.
— C'est toi, Georgia ?

1h00 Bon d'accord, Dave la Marrade est plutôt
mignon, un genre de sous-Super-Canon si vous
voulez et, obligée de reconnaître, il me fait atrocement
marrer.

2h00 J'ai dansé des plombes avec Dave la Marrade.
Il se débrouille drôlement bien sur une piste. Il
a même tenté les danses de l'impossible avec Sven. Bien
sûr, il ne s'attendait pas à ce que le géant des steppes gla-
cées le soulève et l'embrasse sur les deux joues mais il l'a
bien pris.
On est tous partis ensemble. Et j'ai vu que Super-Canon
nous regardait en rangeant ses affaires. Il y avait une
espèce de blondasse hyper cucul qui le collait pour avoir un
autographe ou est-ce que je sais (allez vas-y flagelle-toi
avec le *est-ce que je sais*). L'heure de la démonstration de
maturosité et de glaciosité avait sonné.

Dave la M. m'a fait :

– Dis, Georgia, tu rentres en bus ?

Je me suis assurée d'être pile dans l'axe de Super-Canon et je suis partie d'un rire de démente gravement atteinte de démence.

– Hahahahahaha, le bus ! Tu me fais mourir de rire, Dave. Non, mais tu es vraiment trop drôle.

Forcément, Dave la M. m'a regardée un rien interdit. Comment se serait-il douté que le bus était sa blague de l'année. On a marché jusqu'à l'arrêt, Jas, Dave et moi. Arrivés là, un drôle de petit silence s'est installé. Jas était littéralement vissée à moi. Comment voulait-elle que mon plan « *le attaque* de Dave la Marrade » fonctionne si elle restait ventousée comme une vieille chandelle ? Je n'arrêtais pas de lever les sourcils de manière terriblement expressive, mais bien sûr la pauvre fille ne captait rien.

– Tu as quelque chose dans l'œil, Gee ? Laisse-moi voir.

Alors que Miss Culotte-Méga-Couvrante farfouillait stupidement dans mon œil, le bus de Dave est arrivé. Il m'a donné un bécot sur la joue.

– Voilà mon bus. J'ai passé une super soirée. Si ça se trouve, à plus.

Puis la Marrade m'a regardée dans les yeux une bonne seconde, je dirais. Un clin d'œil et hop ! il est monté dans son bus.

J'étais toute retournée en marchant pour rentrer chez Miss Stupide-Culotte-Reine-des-Chandelles (Jas).

– Dis, tu crois que je lui plais à Dave la Marrade ? Tu sais quoi, il m'a fait un clin d'œil en partant. À ton avis, ça veut dire quoi ? T'es d'accord, Super-Canon nous a vus partir ensemble, hein ? Et il m'a vue rire quand l'autre me parlait.

– Tu fais bien de mentionner le truc, j'ai cru que Dave la Marrade allait te planter là. Il te disait juste : « Tu rentres en bus ? » et toi tu te mets à rire comme une demeurée. J'ai

vu le moment où tu allais craquer ton collant. Ta figure est devenue toute bizarre et ton nez a commencé à se répandre gravement sur tes...
– Jas.
– Quoi ?
– Ferme-la.
– Ben, je disais juste que...
– Ben, le fais pas.
– OK, je le fais pas.
– C'est ça, tu le fais pas.
– Je le fais pas.
– Tu le fais pas.
Il y a eu quelques secondes de silence bien mérité, puis :
– Je le fais pas.
Cette fille est ATROCEMENT agaçante.

3 h 00 Et en plus, elle prend une place dingue dans le lit. J'ai été obligée de faire une barrière avec ses jouets en peluche pour délimiter le milieu. Et pour qu'elle reste dans sa zone.

Je me demande bien ce que Dave la Marrade a voulu dire par « à plus » ?

3 h 30 Est-ce que j'ai vraiment envie de le revoir même si son « à plus » était sincère ?

4 h 00 Si Super-Canon est vraiment jaloux, il est obligé de m'appeler demain pour essayer de me reprendre.

Ou bien, c'est qu'il n'a pas encore atteint le bout de l'étirabilité de son élastique.

15 h 00 Me suis endormie en cours d'allemand. Herr Kamyer est un prof aux vertus particulièrement lénifiantes. J'ai lâché prise au moment où il se lançait dans une histoire de Gretchen et de colombe dans un colombier. (Inutile de me demander une explication, comme vous le savez déjà, depuis que je connais l'existence de la passe de Heimlich, le peuple allemand est un total mystère pour moi.)

16 h 30 Sur le chemin du retour, mise en pratique de nos toutes nouvelles connaissances en allemand.
Moi :
– Comment tu dis, je suis « une colombe dans un colombier » en langage alémanique ?
– Heu... *ein Kolomb in ein Kolombier*, je crois.
– *Ach gut... donc... Du bist ein Kolomb in Kolombier nicht wahr?*
– *Nein, ich nicht ein Kolomb in Kolombier.*
– *Jah.*
– Tu sais que tu m'as dit que j'étais une colombe dans un colombier.
– Eh ben, c'est vrai.
– Tu es complètement barjo.
Pas impossible que je fasse un peu d'auto-allumage.

16 h 45 Je suis tellement crevée que je crois que je vais faire une petite sieste en arrivant à la maison.

17 h 00 – Minounette, Minounette, suis là.
Oh non ! ma petite sœur bien-aimée était de retour. J'ai fermé les yeux mais le danger se rapprochait. D'abord les petits pas dans l'escalier, puis une respiration

123

de bébé phoque pile dans l'oreille et ensuite une sorte de choc.

– On est là, Minounette.

On qui ? Libby, Angus, la Barbie qui fait de la plongée sous-marine et le cheval Charlie pour faire bon nombre. Ah mais, ce n'est pas fini, il semblerait qu'il y ait un autre invité, un truc atrocement froid et visqueux.

Je me suis redressée d'un bond.

– Libbs, c'est quoi ce truc ?

Elle m'a fait ce qu'elle considère comme un très joli sourire mais qu'on peut classer définitivement dans la catégorie des choses proprement terrifiantes. J'explique : l'enfant retrousse le nez à se l'écraser sur le front tout en sortant les dents en même temps. Vous pigez ? Je ne m'explique pas comment Libby s'imagine que ce rictus de film d'horreur peut passer pour naturel.

– Très chou !! me dit la sorcière.

Un coup d'œil sous les draps.

– Qu'est-ce que c'est que ça, Libby ? Oh, non !

En bas, j'entendais Mutti qui parlait toute seule :

– Libbs, mon cœur, qu'est-ce que tu as fait de ton esquimau ?

OCTOBRE

CULOTTUS MONUMENTUS

9 h 30
Pas la moindre nouvelle de Super-Canon ni de Dave la prétendue Marrade, d'ailleurs.

Géo

10 h 00
Brrr! On n'est qu'en octobre mais on se croirait au Groenland. Abstraction faite des icebergs, des Esquimaux et des ours polaires (je précise pour les pinailleurs). Comme dirait M. Poilant, le frère d'Ellen, il fait très « frisquet de la nouille » aujourd'hui. Il n'a jamais été question que je me mette à dire ces inepties, mais je suis obligée de constater que c'est assez contagieux comme affaire. Et maintenant que je m'y suis mise, le Gang a pris le pli, lui aussi. Sans blague, c'est pire que la rougeole de cerveau! Tout à l'heure, Rosie a levé la main pour demander à Mme Franks (qui n'est pas à proprement parler une « marrante ») si elle pouvait aller au service pipi et Cie.

Plutôt fraîche la réaction de la Mère Franks.

– Dites-moi, Rosemary, qu'est-ce exactement que le service pipi et Cie ?

Rosie :

– Ben, c'est pas l'institut du popo si vous voulez.

125

Fou rire général de hyènes empaillées. Mme Franks s'est abstenue.

– Il serait temps de grandir, Rosemary Barnes, a fait remarquer l'experte en géographie à Rosie avant de la laisser sortir quand même.

Puis la prof s'est lancée dans un exposé effroyablement soporifique sur les greniers à blé pendant que Rosie faisait l'orang-outang dans son dos avec force bonds et bras qui traînent jusqu'au sol. Je riais comme une bossue mais d'un rire très intérieur. La perspective d'une colle de deux heures musellerait même les plus exubérantes.

Récré

11 h 00 Cette boîte est truffée de sadiques, ma parole. On nous a obligées à sortir dehors alors qu'il fait moins cinquante. Même Elvis Attwood reste dans sa hutte et pourtant ce type-là tient plus du morse que de l'homme. Et pendant ce temps-là, les grandes qui nous surveillent (dont Lindsay la Nouillasse) ainsi que les profs restent bien au chaud à l'intérieur. J'allais sortir quand la Nouillasse, dite Pauvre-Chouette, m'a fait :

– Tu n'as qu'à mettre des jupes plus longues si tu ne veux pas avoir froid.

Moi :

– Dis donc, Jas, tu n'aurais pas entendu comme un ululement dans le coin ?

On s'est planquées derrière un mur pour s'abriter du blizzard mais impossible de se réchauffer. Alors, une idée de génie a jailli de nos cerveaux engourdis : le sac de couchage géant à double boutonnage. J'explique. Jas a passé les boutons de son manteau dans les boutonnières du mien et moi j'ai fait pareil de l'autre côté. Et c'est comme ça qu'on s'est retrouvées bien au chaud dans notre nid de manteaux. Évidemment, ce n'était pas hyper pratique pour marcher. Trop dommage d'ailleurs, car nous avions procédé à l'opération double boutonnage assez loin de l'endroit où étaient posés nos sacs. Sacs dans lesquels nous attendait de quoi nous restaurer (Mars et crackers au fromage). On a bien essayé de synchroniser nos pas pour se rapprocher un peu des vivres, mais Jas a trébuché et on s'est cassé la binette. Hilarité immédiate mais très vite écourtée par l'arrivée des sœurs Craignos.

Jackie nous a vues tout entortillées par terre dans nos manteaux et elle a fait :

– Tu as vu ça, Ali, les petites ont inventé un nouveau jeu. Si on jouait avec elles ?

Et pof, elles se sont assises sur nous.

Et croyez-moi, on ne parle pas petits gabarits, là.

Puis du fond de notre terrier on a entendu Alison qui faisait à son acolyte : « Si on s'en grillait une ? » et le bruit d'un briquet qu'on allume.

Et ensuite, c'est Jackie qui a parlé :

– Regarde, Ali, quelqu'un a oublié ses crackers au fromage. Ça te dit ?

Nous étions le fauteuil des sœurs Craignos.

Dans ma chambre

 Pas un appel.
Visite de Mutti.

– Entre donc, maman, ne te gêne surtout pas. J'ai fermé la porte uniquement pour avoir un peu d'intimité.

La remarque était bourrée de sous-entendus mais elle n'a rien capté. Rose vif, Mutti.

– Papa vient d'appeler. Il t'embrasse très fort et il dit qu'il a hâte de retrouver sa grande fille. Et aussi qu'il a un cadeau pour toi.

– Nom d'une pipe en bois, qu'est-ce que ça peut bien être ? Un short en peau de mouton ?

La voilà qui remettait ça avec ses tss tss tss.

Ça doit bien faire quatre siècles qu'elle ne s'est pas préoccupée de mon sort. Non mais faut m'expliquer l'intérêt de procurer... Non, ça ne doit pas être ça. Ah oui, j'y suis, l'intérêt de procréer, bref, d'avoir des enfants si c'est pour ne pas s'en occuper ? Dans ce cas, il vaut mieux prendre un hamster et s'en tenir là.

17 h 35 Youpi ! ! ! !

Résumé de ma vie trop merveilleuse :

1. Personne ne m'a embrassée depuis un mois. D'ailleurs il n'est pas impossible que j'aie perdu le mode d'emploi du bécot.

2. J'ai un nez SURDIMENSIONNÉ, ce qui signifie en clair mon déménagement prochain et définitif pour l'hospice pour laids. Dont adresse ci-dessous :

Georgia Nicolson

Hospice pour laids

Royaume des laids

Univers des laids

3. Mon plan Chèvre a échoué.

4. Je suis le fauteuil des sœurs Craignos.

18 h 00 Coup de fil de Mutti.

– J'emmène Libbs chez le médecin pour lui faire nettoyer les oreilles.

On pourrait peut-être m'épargner, non ?

18 h 30 Coup de fil de Jas. Po est en boucle sur son Craquos. Je vais péter un câble.

18 h 45 J'ai rendez-vous avec Dave au parc vendredi prochain après l'école. Il a eu mon numéro par Jas qui l'a filé à Tom qui lui a refilé. Nom d'un raton laveur ! Atterrissage de la Chèvre. Je suis tout excitée. Il me semble.

Pas sûre à cent pour cent pour l'excitation.

Il m'a dit que ce serait trop cool de se revoir. Et puis il a ajouté qu'il espérait qu'il ne ferait pas trop frisquet de la nouille pour le parc.

J'avoue, j'ai ri.

Mais n'allez pas vous imaginer des trucs et des machins, Dave la Marrade, c'est une Chèvre dans un Plan Élastique. Point.

20 h 00 Retour de Mutti et Libby pile au moment où j'étais en train d'essayer de ne pas mourir de faim à l'aide de quelques pauvres corn flakes.

Moi :

– Est-ce que, par hasard, le docteur aurait retrouvé mon collant résille dans les oreilles de Libby ?

Mutti avait l'air encore plus atteinte que d'habitude.

– Je te l'ai emprunté pour aller danser la salsa avec oncle Eddie.

Charmant. Maintenant je vais être obligée de l'ébouillanter pour pouvoir le remettre.

– Il y a un nouveau médecin au cabinet.

Silence.

– Il m'a fait l'effet d'être très compétent.

Silence.

– Il a été adorable avec Libby et pourtant elle a hurlé dans son stéthoscope.

Où est-ce qu'elle voulait en venir ?

– Il ressemble un peu à George Clooney.

21 h 40 En m'embrassant pour me dire bonne nuit, Mutti m'a sorti :

– On n'a pas fait ton rappel de tétanos, dis-moi ?

Non, mais de quoi elle me parle ?

10 h 30 Rosie vient de m'annoncer qu'elle projetait d'aller passer les vacances de Noël en Suède avec Sven.

Moi :

– T'es sûre ? Tu viens d'avoir quatorze ans. Tu as toute la vie devant toi. pourquoi tu irais de l'autre côté de la terre avec Sven ?

– Quoi ?

Elle pige que dalle, ma parole.

– Tu trouves que c'est une bonne idée, toi, de partir de l'autre côté de la terre avec Sven ?

– Me dis pas que tu ne sais pas où est la Suède ?

– Tu rigoles ou quoi ?

– Ben vas-y, dis-moi où c'est ?

Je l'ai regardée avec un mépris consommé. Honnêtement. Comme si je ne savais pas où se trouve la Suède.

– C'est tout en haut.

– En haut de quoi ?

– Ben, de la carte.

– Hahahahahahahahahahaha.

Je me demande si Rosie ne fait pas un peu d'auto-allumage. Je ne lui en veux pas. On serait plutôt collègues de ce côté-là.

Maths

10 h 35 Oh ! nom d'un petit bonhomme, nous revoilà dans une zone de turbulences. Les sœurs Craignos ont fait circuler le mot que voici :

Rendez-vous dans la salle des troisièmes à midi et demi aujourd'hui. Présence obligatoire. Ça vaut pour toi, Georgia Nicolson, et pour tes copines goudous.

Riposte rédigée par Georgia Nicolson à ses copines :

Cher Top Gang,
Cette fois-ci, c'en est trop. Ça se dégrade à mort. Il est
temps qu'on mette le holà. En ce qui me concerne moi per-
sonnellement, je n'ai pas l'intention d'être le fauteuil des
sœurs Craignos plus longtemps!!!!!!! Rendez-vous dans le
bâtiment des sciences à midi et quart. Soyez là.
Gee-Gee
xxxxxxx

12 h 32 Planquées dans les toilettes du bâtiment des
sciences. Jas, Jools, Rosie, Ellen, Patty, Sarah,
Mabs et moi... toutes agglutinées dans le même cabinet avec
les pieds en hauteur pour ne pas se faire repérer par les
sœurs Craignos. Et je vous prie de croire que ce n'est pas aisé
de garder l'équilibre à huit debout sur une lunette de cabinet.
Tous aux abris!!!! Deux individus entrent dans les toi-
lettes. Je reconnais les voix immédiatement. Il s'agit de
Lindsay la Nouillasse et de sa copine, Dismal Sandra.
Lindsay la Nouillasse :
– Franchement, les petites sont vraiment demeurées.
L'autre jour, il y en a une qui m'a demandé si on pouvait
être enceinte en s'asseyant sur les genoux d'un garçon.
Jas a articulé silencieusement :
– On peut ?
J'aurais bien ri si je n'avais pas eu peur de faire tomber
notre plan à l'eau, au propre comme au figuré.
Je mourais d'envie de regarder par-dessus la cloison
pour montrer à Pauvre-Chouette que je l'avais vue faire
pipi, et décoller son string de la raie des fesses!!!!!!
Intervention de la copine de l'Enchouettée, Dismal
Sandra :
– Au fait, qu'est-ce qui se passe avec Robbie ?
Voilà qui devenait intéressant.
– Il m'a dit qu'il ne voulait pas s'investir dans une rela-
tion sérieuse parce qu'il avait la fac et le groupe et tout ça.

J'étais au bord de hurler : « Mais non, Pauvre-Chouette, tu n'y es pas. C'est tout simplement parce qu'il ne t'aime pas ! »

Dismal Sandra :

– Qu'est-ce que tu comptes faire alors ?

– J'ai mes petits trucs à moi. Je sais comment le ravoir. Il m'a dit qu'il ne sortait avec personne. Je crois qu'il est encore tout chamboulé par notre séparation.

Dans tes rêves, ma vieille.

Physique

13 h 30 Herr Kamyer dans son costume à pleurer en train de faire les cent pas sur l'estrade avec des spasmes nerveux à n'en plus finir. Faut que je vous raconte le costume du germanophone. Le genre super serré au cou et méga feu de plancher dans le bas. Vous voyez le topo ? Ah, j'oubliais, il a des chaussettes écossaises ! Ça prouve que le gars n'est pas normal, non ? Bref, Herr Kamyer a remonté ses lunettes et il nous a fait :

– *Ach so*, nous allons aborder *ein* problème de physique très intérezant. *Das* question est (spasme, spasme) qui de la poule ou de l'œuf est venu en premier ?

Personne n'entravant que couic à ce qu'il disait, chacune est retournée à ses activités favorites : envoi de mots, liste d'achats à faire dans les boutiques, etc. Ellen s'est même fait les ongles de pied. On aurait pu penser à juste titre que Herr Kamyer s'en serait aperçu, mais non.

Le pauvre homme est agité d'un tic nerveux très complexe. Je décris : il cligne de l'œil, il fronce le nez et il tourne la tête d'un coup sec. Les trois en même temps. Il y en a qui disent que c'est parce qu'il a eu la malaria. Un jour où il gelait, il a voulu traverser la cour mais il s'est chopé un spasme d'une intensité de niveau huit sur l'échelle de Richter. Je ne vous raconte pas le gadin. Il s'est retrouvé direct dans le hangar à vélos. Elvis a été obligé de redresser soixante bicyclettes. Ça râlait sec. Et pourtant, quand on n'est pas gâté par la nature comme c'est le cas d'Elvis, on pourrait compatir au sort des confrères.

Bref, on était en cours et on s'occupait gentiment quand tout à coup, plusieurs filles se sont mises à éternuer violemment. Quand je dis violemment, c'est violemment. Genre avec la tête qui manque d'exploser et les yeux qui ruissellent comme des fontaines. Débandade massive vers la porte. Entre deux éternuements, Jackie Craignos a fait au prof :

– Je crois qu'on est... ATCHOUM!... ATCHOUM!... allergiques à un truc dans le labo, Herr Kamyer, ATCHOUM!

Résultat des courses, les filles qui éternuaient ont toutes été autorisées à rentrer chez elles.

J'ai appris l'objet de la réunion organisée par les sœurs Craignos un peu plus tard. Les deux cinglées avaient imaginé un truc diabolique pour rentrer plus tôt : obliger les filles à se fourrer des sels de bain dans le nez en plein cours de physique pour provoquer une crise d'éternuements. Et pourquoi elles voulaient rentrer plus tôt les sœurs Craignos ? Parce qu'elles allaient en boîte à Manchester !

Nom d'un loukoum, plus que trois jours avant mon rendez-vous avec la Chèvre.

17 h 00 Rentrée avec Jas chez elle. Elle a l'intention de préparer un genre de commémoration pour fêter le retour de Tom.

– Le jour où il rentre, ça fera pile un an qu'on s'est rencontrés.

Sans commentaires.

– Regarde, Gee-Gee !

Et avant que j'aie le temps d'éviter l'horreur, elle soulève sa jupe, descend sa culotte gigantesque et me montre son tatouage imbécile en forme de cœur.

– Je me suis lavée autour !

Mais ça n'était pas fini. Jas a entamé une longue litanie sur ses projets de festivités qu'elle n'a pas daigné interrompre alors que, de mon côté, j'étais obligée de faire tenir mes yeux ouverts avec des allumettes.

Huit mille ans plus tard, j'ai fini par lui sortir :

– Et pourquoi tu lui préparerais pas un gentil petit assortiment de légumes pour fêter ça en beauté ?

minuit Honnêtement, Jas est trop cinglée, trop susceptible.

Et trop violente.

Mercredi 6 octobre

16 h 30 Après la piscine, Mlle Stamp est venue rôder dans les douches pour s'assurer qu'on y passait bien toutes. Elle prétend qu'on fait semblant et qu'on est limite point de vue hygiène. C'est la raison officielle de son inspection. Je vous donne l'officieuse et la véritable, cette femme est lesbienne. Un point, c'est tout.

Mlle Stamp nous regardait donc (en tortillant sa moustache) et en hurlant à l'intention de chaque nouveau paquet de filles qui entrait dans les douches :

– Allez, on se dépêche, bande d'empotées !

Je me suis précipitée sous le jet bouillant dans le plus simple appareil. Et je vous prie de croire que je n'ai pas traîné pour me savonner, histoire d'en finir le plus vite possible. Car Mlle Stamp étant comme je vous le disais une lesbienne convaincue, elle pouvait... bref, elle pouvait me regarder. Et comme si ça ne suffisait pas question stress, voilà que l'abjecte Pamela Green traînait son gros derrière dans la douche d'à côté. Imaginez un peu qu'elle me touche par inadvertance ? On est en plein cauchemar là, non ? *Le Village des damnés*, c'est de la roupie de sansonnet à côté. Si jamais l'Abjecte s'effondrait sur moi, je crois que je serais positivement submergée par l'abjection. La pauvre fille est atrocement mal roulée. Non mais qu'est-ce qu'elle peut bien manger pour avoir une forme pareille ? Tous les gâteaux, ça c'est sûr. En fait, l'infortunée n'a pas de forme à proprement parler. On sait où se trouve le haut grâce aux lunettes. J'étais en train de me sécher quand j'ai été prise d'une attaque de compassion pour la grosse chose. Les sœurs Craignos lui avaient planqué ses lunettes pendant qu'elle se douchait et elle tâtonnait maladroitement sur ses pauvres pattes de pachyderme, le cucul à l'air. Les sœurs Craignos (elles avaient réussi à sécher la piscine en prétendant ENCORE une fois avoir leurs mickeys. Non mais elles ont leurs règles combien de fois par mois, ces filles ?), je disais donc, les sœurs Craignos chantaient à l'Abjecte : « Nellie, l'éléphante a plié bagage et elle a quitté le cirque. » Puis la cloche a sonné et elles se sont traînées dehors.

Dès qu'elles sont sorties, j'ai rendu ses lunettes de naze à l'Abjecte. Obligée. Si je ne l'avais pas fait, elle aurait probablement fini ses jours dans les vestiaires. J'espère qu'elle ne va pas s'imaginer qu'on est copines sous prétexte que je lui ai filé ses besicles.

Dans ma chambre

18 h 00 Pas d'appel de Super-Canon. Je me demande à quoi la Nouillasse faisait allusion quand elle disait qu'elle savait comment le ravoir. C'est quoi les trucs des Chouettes pour séduire les hommes ? Si ça se trouve, elle envisage peut-être de lui pondre un œuf.

Ohlalalalalalala. J'ai les chocottes avec mon histoire de Chèvre. Comment je vais faire pour que la Marrade reste Chèvre sans l'embrasser ?

Dans le courrier du cœur de *Bliss* j'ai lu la lettre d'une fille qui s'appelle Sandy. Elle disait qu'elle se servait d'un garçon qu'elle n'aimait pas vraiment pour en attirer un autre. Trop dommage, la réponse du journal n'était pas « Super ton plan, on est à fond avec toi » mais « Sandy, tu es immonde. Tu ne seras jamais heureuse, sale pou » (bon d'accord, ce n'était pas écrit comme ça mais en gros, c'était le sens).

Je crois qu'il est temps de se faire une petite séance yoga relaxante en écoutant la cassette de crouics de dauphins. Le trimestre dernier, je faisais vachement bien la salutation au soleil. Enfin, c'était avant que Mlle Stamp me surprenne dans la salle de gym avec le popotin en l'air.

Mmmmmmmmmmm. Je me sens beaucoup mieux. Un genre d'apesanteur apaisante. Lalalalalala. On lève les bras pour manifester son adoration au soleil... on inspire profondément... hmmmm... on laisse retomber les bras jusqu'au sol, style « je ne vaux pas un pet de lapin »... aahhhh... et on expire. Je ne vous raconte pas la sérénité. Et, pour finir, on fait pivoter sa taille, un coup à droite, un coup à gauche.

Comme c'est curieux... l'histoire du pivotage me fait faire un drôle de bruit, un genre de sifflement. Ah, mais c'est peut-être bien les dauphins après tout ? J'ignorais que le dauphin sifflât.

Arrêtons la cassette pour voir.

Un coup à droite, un coup à gauche. Oh non ! Siffle. Siffle. Et si je le fais à toute vitesse ? Siffle siffle siffle ! Ce n'est pas du tout ce que j'avais commandé !

Impressionnant le bruit. Siffle siffle.

Si ça se trouve, j'ai chopé la tuberculose à la piscine à cause du froid polaire.

Maman est entrée dans ma chambre pour m'apporter une tasse de thé (vous croyez qu'elle aurait frappé !) et du coup, elle m'a surprise en train de faire mon mouvement siffleur.

– Tu danses, ma chérie ?

– Erreur, Mutti, je siffle. Je crois bien que j'ai chopé la tuberculose. Évidemment, je ne risque pas d'être en super forme avec les menus que propose la maison.

– Arrête tes bêtises. Qu'est-ce qui t'arrive ?

Je n'avais pas vraiment envie de lui faire partager mes siffle siffle mais le truc m'avait tellement flanqué la trouille que je lui ai fait une démo. Droite. Gauche. Siffle siffle. Très préoccupée, la mère de famille tout à coup. (Elle devait être en train de se dire qu'elle allait se faire massacrer par la presse locale pour négligence et mauvais traitements à enfants.)

– Écoute, chérie, je crois qu'on ferait mieux d'aller consulter George Cloon... je veux dire le médecin. Mets ton manteau.

Je n'ai pas eu le temps de dire ouf qu'elle s'était déjà fourré Libby sous un bras et qu'on se retrouvait toutes les trois dans la voiture.

– Mais, maman, il suffit peut-être juste que je prenne un bon bain et que tu me mijotes un petit plat pour...

Je n'avais pas fini ma phrase que j'étais assise dans la salle d'attente du cabinet médical bourrée de vieux chnoques crachotant. Si je n'avais encore rien chopé, je n'allais pas tarder.

Libby est montée sur une table pour régaler l'assistance d'une petite danse sans doute apprise au jardin d'enfants. Sur une chorégraphie très personnelle et très physique, ma petite sœur a chanté une composition de son cru sur l'air de *Il court, il court, le furet* qui disait : « Tralalaïtou, atchoum, atchoum, l'a tombé par terre, les quatre fers en l'air. » Je dois dire que personne n'a été déçu par le final. On a eu droit presque simultanément à un lever brutal de robe suivi d'un baissage de culotte.

Certes, mère ne s'attendait pas à tant d'inventivité. Qui s'y attendrait ? Ça commentait sec chez les ancêtres. Il y a même une vieille bique qui a dit que c'était « dégoûtant ». J'ai trouvé ça gonflé de la part de quelqu'un qui avait un passe-montagne.

Cent ans plus tard, c'était notre tour. Mutti s'est littéralement ruée à l'intérieur du cabinet, me laissant me débrouiller toute seule avec Libby qui tenait absolument à remercier son public avec un bis.

Qu'est-ce que c'était que cette voix cucul que Mutti prenait ?

– Bonjour, docteur. C'est encore nous.

Quand j'ai fini par lever les yeux après deux heures de lutte au corps à corps avec Libby pour lui remettre sa culotte, j'ai pu me rendre compte de visu que le docteur était plutôt très mignon. C'est sûr que cette version-là n'avait rien à voir avec le très cinglé et très mal embouché affreusement violacé qui s'occupait de nous d'habitude. Pas faux. Il y avait du George Clooney là-dedans.

Il a souri (miam miam).

– Bonjour, Connie (pince-moi, je rêve, Connie !). Bonjour, Libby.

Ma petite sœur lui a répondu avec un de ses sourires terrifiants dont elle a le secret.

Puis Super-Toubib s'est tourné vers moi. Je lui ai fait ma célèbre ébauche de sourire (lèvres délicatement recourbées, pas de débordement de dents, nez bien rentré à l'intérieur de la figure).

Super-Toubib :

– Je suppose que tu es Georgia. Alors, qu'est-ce qui t'arrive ?

Mutti :

– Allez, ma Gee, dis au docteur ce qui ne va pas.

Pas envie du tout.

– Voilà, quand je fais ça... (démo de pivotage droite gauche), ça fait un drôle de sifflement.

Super-Toubib :

– Est-ce que ça te le fait à d'autres moments ?

– Ben... non.

– Seulement quand tu te tournes d'un côté puis de l'autre ?

– Oui.

– Bien, si j'étais toi, je ne le ferais pas.

Fin de la consultation.

Et merci encore, docteur. Ça faisait plaisir de constater que les impôts que j'avais payés (d'accord, que mes parents avaient payés) pour que George Clooney fasse des études de médecine n'étaient pas partis directement à la poubelle.

Re-sourire de Super-Toubib.

– Voilà. Quand tu fais ce mouvement, tu appuies sur tes poumons, ce qui force l'air à sortir et c'est ce qui provoque le bruit. C'est tout. Si tu veux, les poumons, ça marche un peu comme un soufflet.

Je me suis sentie atrocement ridicule. Et c'était la faute de Mutti. C'est elle qui m'avait obligée à venir. Et maintenant, elle traînait à n'en plus finir. Et vas-y que je fais la conversation au docteur, que je lui raconte que j'apprends à danser la salsa. « Et vous, docteur, vous aimez danser ? » et patati et patata. Le tout ponctué de « Oh, mais il ne faut pas que je vous retienne », avant de remettre ça inlassablement. Si l'infirmière n'était pas venue prévenir George Clooney qu'un des tricentenaires était tombé de sa chaise, Mutti n'aurait probablement jamais retrouvé ses esprits.

C'était atrocement gênant. Elle bavait presque. Non mais je vous le dis, cette femme-là n'a pas de fierté. Maintenant que ma vie est hors de danger, je remarque que malgré notre départ précipité chez le médecin, elle a pris le temps d'enfiler un haut méga moulant. C'est clair qu'elle lui flanque son « danger pour la navigation » sous le nez de façon méchamment ostentatoire. D'une certaine manière (et qui eut cru que je dirais ça un jour), je crois que le retour de Vati sera un vrai soulagement.

Dans la voiture, Mutti m'a sorti :

– Il est sympa, non ?

Moi ·

– Écoute, Mutti, tu pourrais avoir un semblant de dignité. Tu t'es engagée pour la vie avec gros popotin et je me permets de te rappeler qu'il rentre dans cinq minutes. Alors, tu crois vraiment que c'est une bonne idée de compromettre ton mariage et par la même occasion de te couvrir de ridicule à un âge aussi avancé ?

– Je ne vois vraiment pas de quoi tu parles.

Mais si, tu vois très bien.

Est-ce vraiment à moi de tout assurer dans cette foutue famille ? Quelqu'un peut me dire à quel moment je pourrai enfin me comporter en ado égoïste ? La mère de Jas met des tabliers et son père a une cabane de jardin. Alors pourquoi moi, j'écope des parents, style M. et Mme Chacun-Sa-Vie ? C'est injuste.

Jeudi 7 octobre

11 h 30 Les sœurs Craignos sont hystériques. Elles ont vu l'Abjecte en grande conversation avec Lindsay la Nouillasse (à qui vraisemblablement elle devait raconter un truc passionnant sur l'alimentation des hamsters) et, du coup, elles (les Craignos) sont persuadées que l'Abjecte est une cafteuse. Tout ça parce qu'elles se sont fait pincer pour avoir séché les cours. Alors, elles n'arrêtent pas de l'appeler « Éléphanta, la cafteuse » et elles lui ont volé son *Hamster-journal* de ce mois-ci. J'ai cru que l'Abjecte allait éclater en sanglots. Et ça, je vous préviens, c'est au-dessus de mes forces.

Je vous lis le mot que Rosie m'a fait passer en maths : *Je suis un triangle équilatéral.*
Moi : *Est-ce que tu veux dire par là que tous tes côtés sont égaux ?*
Elle : *Je sais pas. Je suis un triangle.*
Je me suis retournée vers Rosie avec le nez remonté, façon cochon, et elle m'a fait pareil. Quand je pense qu'on pourrait passer le temps de façon tellement plus rigolote si on nous laissait nous asseoir à côté !
D'ailleurs, je l'ai dit à la Mère Fil-de-Fer quand elle nous a séparées l'an dernier.
– Mademoiselle Simpson, tout le monde sait que si on laisse des copines s'asseoir côte à côte, elles s'encouragent mutuellement à travailler.
Mais elle a secoué ses cinquante tonnes de masse gélatineuse avec une telle violence que j'ai bien cru que ses centuples mentons allaient se décrocher.
– La dernière fois que vous étiez assises ensemble, Georgia Nicolson, vous avez lâché des sauterelles dans le laboratoire de sciences naturelles.
Honnêtement, non seulement elle a des jambes d'éléphant mais je vous ferais dire qu'elle en a également la mémoire. Combien de fois faudra-t-il lui expliquer qu'il s'agissait d'un accident ? Personne ne pouvait deviner que les sauterelles boulotteraient toutes les blouses de rechange du Père Attwood.
Dans deux heures, on a éducation religieuse, ce qui signifie que je pourrai enfin bavarder avec mes copines au lieu de perdre mon temps à apprendre des trucs.

Éducation religieuse

13 h 30 Rosie a mis les voiles. Elle avait rendez-vous avec Sven au cinéma. Ça doit être cool d'avoir un copain, même si c'est Sven. Oh, j'avais oublié la

Marrade. Nom d'un fox à poil dur. J'ai profité de ce que la Mère Wilson délirait en boucle, en remontant son pauvre collant toutes les deux secondes, pour faire un brin de causette à Jas. Officiellement, ma super copine ne me parle plus, rapport à l'affaire assortiment de légumes. Mais j'ai trouvé une tactique pour la faire sortir de son mutisme : lui mettre le bras autour du cou toutes les cinq secondes. Évidemment, elle a fini par me pardonner (un peu). D'une part, elle voulait que je cesse mon manège horripilant et, d'autre part, elle craignait à mort que la rumeur goudou reparte.

Moi :

– Mon Vati revient de Nouvelle-Zélande le dix-neuf.

– Tu es contente ?

– Tu es bouchée ou quoi ? Je viens de te dire que Vati rentre le dix-neuf.

– Moi, j'aime mon père.

– Oui, mais toi, ton père est normal. Il a une cabane de jardin et il bricole. Il sait réparer ta bicyclette. Quand mon père répare la mienne, il se coince la main dans les rayons. La dernière fois qu'il a essayé, ça a fini aux urgences. À pied. Je me demande encore pourquoi on m'a obligée à l'accompagner, les gens criaient des trucs sur notre passage. Et je te garantis que c'était pas : « Trop génial, ton père ! »

15 h 45 J'ai réussi à ne pas penser à mon rendez-vous avec Dave la Marrade de la journée. Je ne vous cache pas que je suis tout de même un brin fébrile.

19 h 30 Dans ma chambre. Vautrée sur mon lit, la tête sous l'oreiller. Cette baraque n'est ni plus ni moins qu'un asile de dingues. Oncle Eddie et Mutti sont en train de danser la salsa dans le salon. Le très chauve s'est pointé sur sa moto préhistorique avec une caisse de vin sous le bras. La première chose qu'il a faite en arrivant, c'est venir rôder dans ma chambre. Et comme de juste, il est entré sans frapper (je me demande pourquoi on ne décroche pas carrément la porte de ses gonds et qu'on la laisse comme ça). Je pense qu'Œuf-Dur-à-Pattes s'était déjà sifflé une première caisse de vin avant de venir. Il avait une raquette de tennis à la main et il faisait semblant de jouer de la guitare avec ! Comme je vous le dis. Il m'a fait :

– Écoute ça, Gee, j'ai écrit une petite chanson qui s'appelle : *Descends de la commode, papy, t'es trop vieux pour conduire un bahut.* Après quoi, le très chauve s'est mis à rire comme une demi-douzaine de bossus et il est redescendu en chantant : « Agaddoo doo dooo ».

Honnêtement, ces gens-là vivent sur quelle planète ? Et deuxième question, la planète ne pourrait pas être encore plus loin par hasard ? Libby s'est enfermée dans le placard sèche-linge avec Angus. Ils jouent au docteur !

23 h 00 Est-ce que quelqu'un se soucie de mon sort ? Demain, j'ai rendez-vous avec Dave la Marrade et il faut que je me débrouille pour dissimuler mon chagrin d'amour. J'ai intérêt à être méga irrésistible et séduisante et… courageuse.

En bas, Mutti et oncle Eddie gloussent comme des demeurés. J'ai hurlé par-dessus la rambarde :

– Au fait, Mutti, au cas où ça t'intéresserait, ce dont je doute puisque tu continues à boire et à t'amuser stupidement, ta fille Libby est toujours dans le sèche-linge.

Je me demande si je ne devrais pas glisser un mot de l'affaire Mutti-George Clooney à oncle Eddie. Il pourrait peut-être la raisonner. J'en étais là de mes interrogations quand le très chauve a passé sa boule de billard par l'entrebâillement de la porte et que, du même coup, il a failli m'aveugler avec la lumière qui se reflétait dessus.

– Au fait, Gee, je t'emmène en moto chercher ton père à l'aéroport, si tu veux.

C'est ça, dans tes rêves, vieux déplumé de la cafetière !

16 h 00 Avec le Top Gang dans ma chambre. On discute du Plan Chèvre en écoutant le Top 50. Tout le monde est là (Mabs, Rosie, Jools, Ellen)... sauf Jas qui est beaucoup trop occupée à attendre son «fiancé» pour se soucier du sort de sa meilleure amie. Meilleure amie qui ne ferait jamais passer les garçons avant, elle.

Ellen :

– Voilà ce que tu vas faire. Tu vas dire à la Chèvre qu'il faut que tu sois chez toi à neuf heures parce que tu es privée de sortie. Motif : tu n'arrêtes pas de rentrer à pas d'heure.

Moi :

– Super plan. Ça fait la fille qui a pas froid aux yeux et qui est méga branchée et, en même temps, ça me permet de déguerpir à tout moment. Bien vu, la taupe !

Ellen :

– Et nous, on reste planquées dans le coin, prêtes à intervenir dès que ça devient un peu chaud.

Moi :

– Trop génial ! Retour de la double détente. D'un côté, on voit que j'ai des tas de copines sur lesquelles je tombe par hasard chaque fois que je sors avec un garçon et, de l'autre, ça freine méchamment toute tentative du garçon au rayon du bécot.

Rosie :

– *Exactamondo*. Allez et maintenant, on danse !

Et on a dansé comme des cinglées pour se calmer.

19 h 00 Tenue chic décontractée pour retrouver Dave la M. au parc : haut en léopard (heureusement que c'est du faux sinon Angus m'aurait suivie pensant que j'étais un super collègue), jean et veste en cuir.

Au début, c'était vraiment bizarre, style premier rendez-vous. Je dois reconnaître que Dave la Marrade est plutôt mignon comme garçon, si on aime les chèvres. Il m'a fait :

– Salut, sublime, en me voyant arriver.

J'ai trouvé ça cool. J'aime la franchise. Il m'a dit qu'après le lycée, il aimerait bien faire acteur comique. Alors, je lui ai sorti :

– Dommage que tu n'aies pas ma vie, tu aurais de la matière, je te garantis.

Il a ri. C'est marrant, je ne me sentais pas du tout sur les charbons ardents comme avec Super-Canon. Par exemple, je ne lui ai pas sorti que je voulais être véto ou un autre truc insensé du même ordre. J'étais assez cohérente si on va par là.

En marchant dans les allées du parc, nos bras se sont frôlés plusieurs fois sans que je bronche et je dois reconnaître qu'il a un joli petit sourire. Et puis, patatras ! voilà que la Marrade m'agrippe la main. À l'aide ! Manœuvres d'approche ! Un malheur n'arrivant jamais seul, comme il est légèrement plus petit que moi, j'ai dû recourir à la technique dite du genou mou pour égaliser les niveaux. Je ne sais pas ce qui se passe au juste avec les garçons ces temps-ci, mais il semblerait que la tendance soit au petit modèle. À moins que je sois en train de grandir. Oh, non. Pas ça. Ne me dites pas que je n'en suis qu'à la moitié de ma taille réelle et que d'ici quelques années, on m'appellera Svenette. Si ça se trouve, c'est la punition de Dieu pour m'être convertie au bouddhisme. Bref, j'ai chaloupé comme j'ai pu au côté de la Marrade en essayant de faire le moins orang-outang possible. Mais, oh *sacré bleu* et triple *merde*, deuxième manœuvre d'approche. Maintenant, il me fait pivoter d'un coup sec et il m'agrippe l'autre main. D'où, nouvelle remise à niveau avec légère remontée d'épaules pour compenser le surplus de bras. J'avais l'impression d'être Julie Machin dans *La Mélodie*

145

du bonheur. Vous allez voir que, dans trois secondes, il va me faire tourner comme dans le film. Nooooooooooooon. Pas du tout. Il ne va pas me faire tourner, il va m'embrasser, oui ! ! ! ! Ceci n'est pas prévu au Plan Chèvre… Où sont passées mes soi-disant copines ?

Voyant son visage se rapprocher dangereusement, je me suis dépêchée de trouver un truc à lui dire, style « Tu as remarqué que quand on tourne le buste de droite à gauche, ça fait comme un sifflement ? »

J'ai à peine eu le temps de faire « Tu as… » que la jonction labiale était établie. Non mais sans blague, j'aurais pu me mordre la langue ! Au début, j'avais les yeux grands ouverts, histoire que ça ne ressemble pas à un vrai baiser mais ça me faisait tellement loucher que je les ai fermés. Résultat des courses, le baiser était plutôt pas mal (mais qu'est-ce que j'y connais ? Mes expériences en la matière se limitent à Super-Canon, au bulot et à Grosse-Bouche (Mark) dont l'appendice buccal atteint de telles proportions qu'aucune pratique avec l'engin ne peut être considérée comme normale. Il faut juste s'estimer heureuse de ne pas avoir été gobée).

Dans ma chambre
En train de réfléchir

23 h 00 Au bout du compte, les copines avaient quand même fini par se pointer en jaillissant de derrière un arbre comme des diables. Je ne vous raconte pas comment on a sursauté avec la Marrade ! Si jamais Rosie avait dans l'idée de tenter le conservatoire d'art dramatique, il faut absolument que je la dissuade. Je vous mime Rosie :

– Oh, Georgia, c'est TOI ! ! ! ! ! ! Non mais qu'est-ce que tu fiches LÀ ? Je croyais que TU N'AVAIS PAS LE DROIT DE SORTIR ?

Tout ça d'une traite comme si quelqu'un lui avait filé un coup de maillet sur le crâne (ce qui, entre nous, mériterait d'être fait).

23 h 30 Hmmmm. Je me sens toute chose. Je dirais qu'au niveau baiser Dave la Marrade mérite un sept et demi. Voire un huit. Manque de bol, ce n'est pas le genre de garçon porté sur le truc de la variation de pression de lèvres, et puis il serait plutôt adepte de la technique du mini serpent question langue. Maintenant, je dois reconnaître qu'il ne s'est pas ventousé à mon cou (comme le bulot) et que, par chance, il ne m'a pas explosé les dents de devant. Et qu'il n'a pas non plus laissé échapper de petit filet de bave. Car ça, c'est total rédhibitoire comme affaire. En revanche, il m'a mordillé la lèvre inférieure, une nouveauté que je dois absolument rapporter au Gang, vu qu'elle ne figure pas sur notre liste. Pas mal comme truc. Pas impossible que j'en fasse usage moi-même. Le jour où j'aurai récupéré Super-Canon.

minuit Autre bon point. La Marrade ne m'a pas posé la main sur le sein.

0 h 30 Si ça se trouve, il ne l'a pas fait de peur de ne plus jamais la retrouver. Je me demande si mes seins continuent à pousser.

0 h 32 Horreur ! Malheur ! Je peux caler une trousse sous un sein et elle reste coincée une seconde avant de tomber !!!
Je me demande si je n'ai pas chopé la fièvre tellement j'ai chaud. En plus, je me sens toute bizarre. D'autres bonnes nouvelles ?

11 h 50 Angus est amoureux!!! Je vous jure. Il est amoureux de Naomi, le birman avec pedigree à rallonge de M. et Mme Porte-en-Face. (C'est moi qui l'appelle Naomi, je suis sûre que les Porte-en-Face lui ont refilé un nom exotique style Sun Li III Petit-Ruisseau-qui-Monte-à-L'Arbre-avec-une-Saucisse-dans-le-Derrière.) J'ai surpris Angus en train d'offrir un mulot qu'il venait de zigouiller à sa Naomi. Le monstre se pavanait sur le mur comme un paon avec le popotin en l'air et la queue qui fait des huit. Révoltant comme spectacle. D'autant que pour ne rien vous cacher, le félin avait un bout de truc douteux collé au cucul. Les chats sont persuadés que c'est un plus sur le plan séduction. Ils ne sont pas les seuls, Libby aussi.

Les Porte-en-Face semblent avoir moyennement apprécié les attentions d'Angus pour leur bestiole. Pour être exacte, ils lui ont même jeté des pierres. Entre nous, il va falloir qu'ils trouvent autre chose pour dissuader le monstre, ils ignorent sans doute qu'il a été élevé à coups de briques. À mon avis, un bazooka devrait faire l'affaire pour commencer.

Dans ma chambre

14 h 30 Il faut absolument que je retrouve un brin de sérénité. Peut-être y parviendrai-je grâce au mode d'emploi du bouddhisme que j'ai dégoté à la bibliothèque du collège. Mlle Wilson, qui cumule les fonctions de bibliothécaire et de titulaire de la chaire d'éducation religieuse, ne se tenait plus de joie. La pauvre femme s'imagine que mon intérêt pour la chose religieuse est né sous l'impulsion de ses cours passionnants. Si c'est pas malheureux! Vous allez voir qu'un jour elle va m'inviter à boire le café chez elle. Je ferais aussi bien d'accepter, comme ça je pourrais lui demander où elle achète ses collants. Le bouquin que j'ai emprunté s'appelle *Le Bouddhisme pour les nuls*. En vrai, ce n'est pas le titre mais ça pourrait.

Nom d'une pipe en bois d'arbre, qu'est-ce que ça peut être rasoir!!! Ça ne parle que de paix et de machin pacifique. Je n'ai rien contre mais je n'en suis pas encore là. J'ai le temps. On verra ça plus tard quand je serai heureuse. Et que j'aurai eu ce que je voulais.

16 h 00 Jas s'est pointée chez moi avec le moral dans les chaussettes.

– J'avais tout bien préparé pour le retour de Tom et tu sais quoi? Il m'appelle pour me dire qu'il reste là-bas trois quatre jours de plus sous prétexte qu'il adore Birmingham et qu'il a plein de nouveaux copains super géniaux.

Dans ma Ford intérieure, je me disais : « Bon sang de bonsoir, comme si je n'avais pas assez de soucis comme ça pour me taper en plus une crise de ménage Craquos-Po. » Mais je suis restée remarquablement silencieuse sur le sujet.

Pas Jas.

– Avant, il n'aimait pas ça sortir avec des copains. Tout ce qu'il voulait, c'était être avec moi.

J'ai glissé très finement :

– N'oublie pas que c'est un Jennings, Jas. Il est pareil que Robbie. Rappelle-toi le machin de l'élastique. Il faut que tu le laisses avoir son espace à lui. Moi, je pense que vous devriez faire un petit break tous les deux? Histoire de vous retrouver.

– Mais attends, j'ai pas besoin de le retrouver, je sais où il est, moi. Il est à Birmingham.

Honnêtement, c'est plus facile d'avoir une conversation avec Angus.

– Reprends-toi, Po! Bref, c'est pas le sujet. Je voulais te parler de Bouddha. Tu sais ce qu'il a dit?

– Il en a dit un paquet, non ?

– Sans blague. Donc, Bouddha a dit : « Quand un corbeau trouve un serpent en train de casser sa pipe, il fait comme s'il était un aigle. Si tu te vois comme une victime, le plus petit bide te flingue. »

Gros silence du côté de la « fiancée » du marchand de poireaux et méchant tripotage de frange.

Moi :

– Tu piges ?

– Heu... Je vois pas ce que ça a à voir avec Tom. Tom est un garçon, pas un aigle.

Vous êtes d'accord, cette fille est trop bouchée ? Avec ma patience légendaire, je me suis fendue d'une explication.

– En clair, ça veut dire que si tu penses que ta vie est caca, elle le sera.

– Ben, pourquoi il dit pas ça ?

– Primo parce que c'est Bouddha et deuzio parce qu'il n'y a pas de caca chez ces gens-là.

17 h 30 Téléphone.

Hurlement de maman en bas de l'escalier :

– Gee, c'est pour toi, chérie. Ton petit ami.

Honnêtement, je pourrais la tuer. Je suis descendue répondre (assise sur un tabouret, c'est plus confo). C'était Dave la Marrade.

– Salut, beauté. C'était super hier soir. Je me remets à peine de la rencontre avec tes copines. Tu faisais quoi là ?

Et, comme de juste, Libby choisit précisément ce moment-là pour traverser l'entrée en chantonnant et exiger au passage de monter sur mes genoux.

– Libbs, je suis au téléphone. Va jouer avec Angus.

Très contrariée, la petite sœur.

– NON ! MONTER TOUT DE SUITE ! VILAIN GARÇON !

150

L'enfant me crachant dessus, j'ai fini par céder. Je n'avais pas fini de la tracter qu'elle m'arrachait le combiné des mains.

– Salut, monsieur garçon. Grrrrrrr. Trois jeunes balourds, trois jeunes balourds !

Oh, non ! J'ai commencé à batailler comme une folle pour lui reprendre le téléphone mais elle hurlait :

– Georgie a un TRÈS gros BOUTON ! Hahahahahahahaha.

Cent ans plus tard, je récupérais l'objet et je me débarrassais de Libby.

– Excuse, Dave. Ma petite sœur commence tout juste à parler et... heu... elle doit...

Inutile, Libby chantait à tue-tête : « Georgie a un TRÈS gros bouton. Lalalalalalala. TRÈS, TRÈS gros BOUTON... sur le... SUR LE CUCUL. »

18 h 00 L'odieuse gamine avait raison. Comment peut-on avoir des boutons sur l'arrière-train ? Si ça se trouve, j'ai une carence en vitamine C.

18 h 05 En train de boulotter des bananes avec Jas. Jas :

– Garde la peau. Tu verras, c'est extra comme masque.

18 h 30 Comme de juste, Jas est à côté de la plaque. C'est dégoûtant de se passer de la peau de banane sur la figure.

Moi :

– J'ai rendez-vous avec Dave demain. J'ai l'impression que je lui plais bien.

Jas était en train de s'enlever des bouts de banane collés dans les cheveux.

– C'est vrai ça ? Mais pourquoi ?

– Je sais pas. C'est comme ça.

151

Dans mon lit

23 h 00 Avec Dave je n'ai pas du tout les jambes qui flageolent, et c'est justement le problème. Vous n'êtes pas d'accord ? S'il n'y a pas liquéfaction quand on est avec un garçon, autant être avec ses copines... ou avec des copains garçons mais sans passer par la case bécot.

23 h 30 Oh, je n'en sais trop rien.

minuit Angus est toujours scotché sur son mur en train de couver des yeux sa bombe birmane. Naomi se frotte contre la pierre comme une petite effrontée qu'elle est. Je sais ce qu'elle ressent.
Je me demande ce que fait Super-Canon en ce moment. Et moi, qu'est-ce que je dois faire avec Dave ?

1 h 00 Je préférerais encore me mettre la tête dans un sac plein de vers de terre plutôt que d'embrasser Lindsay la Nouillasse.

1 h 15 On peut dire que Super-Canon avait pris le taureau par les cornes quand il avait largué la Nouillasse pour vivre le grand amour (avec moi). Même si par la suite il avait remis ça (avec moi).

1 h 30 S-C avait laissé parler son cœur, c'est tout. Évidemment, l'Enchouettée n'avait pas apprécié d'être larguée mais c'était ce qu'il fallait faire (et c'est toujours ce qu'il faut faire).

22 h 00 Dave la Marrade est venu me chercher avec une fausse moustache collée sous le pif. Faut reconnaître que le garçon est poilant. On est allés au cinéma et forcément, il y a eu bécot. Ça doit le surprendre un peu que mes copines se pointent chaque fois qu'on sort ensemble quelque part. J'ai même cru qu'il allait avaler tout rond sa glace quand Rosie a surgi juste derrière nos sièges en hurlant :
– GEORGIA !!!! J'Y CROIS PAS !!! Qu'est-ce que tu fais là ?

8 h 30 Retrouvé Jas sur le chemin de l'école comme d'hab'. Bizarre, elle marchait en laissant traîner son sac à dos par terre.
Moi :
– J'ai reçu une carte de Dave aujourd'hui. Il dit comme ça : *Joyeux anniversaire de première semaine, ma sublime. Ton Dave. Bisous.*
Pas de réaction.
– Jas, qu'est-ce qui t'arrive ?
Elle était toute pâlotte.
– J'ai pas de nouvelles de Tom. Je l'ai appelé mais il était sorti.
– Je vois.
– Tu m'as dit qu'il fallait que je lui laisse son espace à lui.
– Et alors ?...
– Eh ben, maintenant, il en a des tonnes d'espace.
– Je vois.
– Et moi aussi du coup.
– Et alors ?...
– J'en veux pas d'espace.

153

Nom d'un fox en bois d'arbre, je ne ferai jamais le courrier du cœur si les gens ne font que se lamenter à longueur de temps.

Dernière sonnerie

15 h 50 Planquées avec Jas, Jools, Ellen et Rosie derrière le bâtiment des sciences pour échapper à la Gestapo (Œil-de-Lynx) qui veut m'interroger sur le concept du béret garde-manger, adopté par tout le collège. Ce matin au rassemblement, la Mère Fil-de-Fer nous a sorti :
– Mesdemoiselles, vous ridiculisez le nom prestigieux de votre collège dans toute la ville.

Total, on a pris l'avertissement de la dirlo à la lettre et on a décidé de procéder à « une journée à l'aveugle ». Bref, pour revenir à nos moutons, quand la sonnerie a retenti, on s'est ruées dans l'allée qui sépare le bâtiment des sciences du bâtiment principal, histoire d'attendre le moment propice pour gicler vers la grille sans se faire alpaguer par la Mère Œil-de-Lynx. Tout le monde avait son béret en garde-manger, excepté Miss Rabat-Joie (Jas).

Rosie :
– Je vous file le topo pour la « journée à l'aveugle » de mercredi. On garde les yeux fermés toute la matinée et on se fait guider par une autre fille pour aller aux cours.

Moi :
– Attends un peu. Mercerdi, on a hockey. Ça peut être poilant.

Jas avec une voix d'outre-tombe (elle a tiré la tronche toute la journée) :
– On pourra jamais avec Œil-de-Lynx. Elle nous filera une colle.

Rosie :
– Ça risque pas. On n'a qu'à lui dire que c'est une opé-

ration spéciale compréhension des malvoyants avec sponsor et tout le toutim.

Rosie venait juste de finir sa phrase quand un truc monstrueux s'est produit au bout de l'allée. Jamais vous ne devinerez. Sous nos yeux ébahis, Super-Canon a garé sa Mini devant la grille du collège et, un quart de seconde plus tard, Lindsay la Nouillasse s'est engouffrée dedans.

19 h 00 D'une main, je me sentirais presque libérée. Si Super-Canon me préfère l'Enchouettée, tant pis pour lui. C'est la vie. Les bouddhistes sont comme ça. Om... Pas question que je sois le corbeau qui trouve le serpent ou est-ce que je sais. On s'en fout d'ailleurs. Ce n'est jamais qu'un corbeau.

20 h 00 Urgence d'une pause au rayon bouddhisme. MERDE!!!!!! DOUBLE *CACA!!!!!!* La vie n'est qu'une tartine de *le merde*.

21 h 00 Mutti est montée pour avoir une petite « discussion » avec sa fifille.

– Tu te rends compte, ma Georgie, papa rentre dans une semaine.

– Super, tu as encore le temps pour trois ou quatre urgences médicales d'ici là.

– Qu'est-ce que tu racontes ?

– Je parle de ton idylle avec le docteur Clooney.

– Gee, tu es complètement folle.

– Ah oui ?

– Écoute, je le trouve beau garçon. C'est tout.

– Évidemment, si tu le compares à Vati.

– Fais attention à ce que tu dis.

– Attends, c'est la triste réalité.

– Ne te fais donc pas de souci, mon cœur. C'est un flirt tout ce qu'il y a d'innocent.

– Parle pour toi, mais tu as pensé à George Clooney ? Si ça se trouve, tu lui plais pour de vrai. T'imagines qu'il en ait gros sur la patate le jour où il découvre qu'il est ton jouet ? Le jouet d'une femme qui joue avec les hommes ?

Mutti est sortie de ma chambre, l'air toute chiffonnée. Parfait. Comme ça je ne suis pas toute seule à me sentir mal et coupable. Et tourneboulée.

21 h 30 Coup de fil de Dave.

– J'appelle juste pour te dire que tu me plais méga. Dors bien.

Nom d'une pipe en terre.

Je me demande si tous les pièges à garçons impitoyables se sentent coupables ?

Mardi 12 octobre

Terrain de hockey

14 h 30 Match contre les navrantes du collège Hollingbury. Les pauvres filles se croient géniales mais elles ne vont pas tarder à découvrir qu'elles sont terriblement dans l'erreur.

Juste avant le match, j'ai fait semblant de relacer mes chaussures pile devant la porte de leur vestiaire pour pouvoir jeter un petit coup d'œil à l'intérieur. Je ne vous raconte pas le festival de strings ! Un vrai cauchemar. Comme de juste, Mlle Stamp n'arrêtait pas de se pointer à tout bout de champ sous n'importe quel prétexte, genre : « Ne faites pas attention à moi, mesdemoiselles. Je voulais juste vérifier que vous aviez assez de serviettes. »

Méchamment congestionnée et particulièrement attentionnée Adolfa. Style qui court sur place. Ça fait très peur quand on n'a pas l'habitude. Je me suis aperçue que les trois quarts des filles de Hollingbury couraient s'entasser dans les toilettes chaque fois que l'autre rappliquait. Elles commençaient à avoir les jetons. Alors, je me suis dit qu'il était temps de recourir à une bonne vieille tactique sportive. Je suis allée trouver Adolfa et je lui ai fait comme ça :

– Au fait, mademoiselle Stamp, je me demande si l'équipe de Hollingbury ne serait pas cliente au rayon des massages après le match. Vous voyez ce que je veux dire. En cas de bobo, vous pourriez peut-être... heu... officier, je veux dire... leur faire profiter de votre toucher magique.

Adolfa était un rien soupçonneuse mais elle ne pouvait pas deviner où je voulais en venir. Ni une ni deux, la voilà qui retourne dans le vestiaire des Hollingbury leur proposer de les soigner après le match. Je ne vous raconte pas la débandade. Toutes les filles ont giclé du vestiaire comme un seul homme. C'est parfait, ça, une équipe sur les dents, prête à tout pour ne pas avoir de blessées. Gagné ! ! ! ! !

Il fait méga frisquet de la nouille, j'ai mis trois culottes pour me réchauffer le derrière. De dos, je dois ressembler à l'abjecte Pamela Green... ou à la Mère Fil-de-Fer. Pas grave, mieux vaut un gros popotin qu'un popotin congelé. Si vous voyiez le nombre de supporters qu'on a ! Dément ! En fait, il y a toutes mes copines. Sauf Jas, elle n'est pas venue au collège aujourd'hui. J'espère qu'elle nous refait pas la toute bizarre à cause de son Tom.

La nouille rachitique dont je tairai le nom (Lindsay) est capitaine de l'équipe. Beurk... Elle peut toujours se gratter pour que je fasse ce qu'elle dit. Au briefing d'avant match, elle nous a fait :

– N'oubliez pas de me regarder pour les consignes de jeu. Et si jamais vous vous trouvez en position de marquer, faites-moi signe pour que je vienne tirer.

C'est ça, pauvre nouille, dans tes rêves. Avec un peu de chance, quelqu'un la fera tomber en shootant dans ses guiboles de phasme. Ne vous méprenez pas, je ne suis pas en train de souhaiter que l'Enchouettée soit grièvement blessée. Grièvement non, mais juste assez pour être obligée de partir en convalescence quelque part (au choix : Mars) pour un an ou deux. Merci, Bouddha. (Vous remarquerez à quel point je garde la ligne zen.)

14 h 50 Super match. On m'appelle la Tornade (enfin, c'est moi qui m'appelle comme ça). Ah, si vous me voyiez filer sur le terrain en poussant la balle devant moi ! Excellente passe ! Sans blague, David Beckham et moi, c'est la même chose. À part la crosse, la jupe et les trois culottes gigantesques bien sûr. Après tout, qui sait ? Si ça se trouve, Posh Spice met des culottes balèzes et confo en hiver. C'est quelqu'un de très humain. Quoique mince.

Mi-temps
Zéro à zéro

15 h 15 Avec Rosie, Ellen, Jools et Mabs, c'est comme si j'avais des pom-pom girls. Elles ont inventé une petite chanson qui fait comme ça : *Et un et deux et trois et quatre, go! Georgia, go!*

À la mi-temps, je leur ai fait remarquer que ça ne rimait pas, mais Ellen m'a fait :

– Tu sais quoi, il fait trop frisquet de la nouille.

Brrr ! Ellen a raison. Un peu qu'il fait froid. Si j'allais aux toilettes me passer les mains sous l'eau chaude, histoire de les réchauffer ? Oh non, les sœurs Craignos ont coincé l'Abjecte dans les vestiaires. Elle pleure comme un veau. Les deux monstres ne se retournent même pas quand j'entre.

Jackie :

– Alors la cafteuse, qu'est-ce que tu es allée baver à Lindsay sur nous ? Tu lui as dit qu'on séchait, c'est ça ?

L'Abjecte tremblait de toutes ses pauvres pattes gélatineuses de pachyderme géant.

– J'ai... j'ai... rien... dit...

À un moment, je me suis dit que pour l'aider je pourrais lui crier : « Parle-leur de tes hamsters P. Green, tu verras, ça va les endormir d'un coup et tu pourras te tirer. » Mais à la vue des bras de catcheuse de Jackie, j'ai pensé qu'il valait mieux que je ne m'en mêle pas.

J'allais ressortir quand les Craignos ont commencé à pousser l'Abjecte contre la porte des toilettes. Oh, trop nul.

Alison :

– Nous, on n'aime pas les cafteuses... pas vrai, Georgia ?

– J'ai rien contre...

Et là, Jackie secoue l'Abjecte tellement fort que ses lunettes font un vol plané. C'est la goutte d'eau qui a fait déborder le vase. Décidé, je ne serai plus le fauteuil des sœurs Craignos.

Moi :

– Laisse-la tranquille.

Jackie :

– Ah oui et comment tu comptes t'y prendre pour m'arrêter, gros tarin ?

– Je vais faire appel à ta gentillesse.

Gros rire gras.

– T'as qu'à rêver, Georgette.

– Je me disais bien que ça ne marcherait pas, alors voici mon plan de secours.

Inutile de vous cacher que je n'avais pas le moindre plan de secours. Je ne savais pas du tout ce que je faisais. C'était comme si j'avais été possédée par le Malin. D'un coup d'un seul, j'ai fondu sur elle comme un aigle et je lui ai arraché son paquet de clopes. Puis je me suis précipitée dans un cabinet avec le paquet suspendu au-dessus de la flotte et j'ai hurlé à Jackie :

– Laisse-la partir ou tu dis adieu à tes clopes.

Je ne vous raconte pas le malaise chez les Craignos.

Jackie n'a pas pu retenir un geste pour sauver son trésor et Alison s'est rapprochée, laissant l'Abjecte tremblotante dans son coin.

Moi :

– File comme le vent, P. Green ! ! ! ! !

La disgraciée a ramassé ses lunettes puis, elle est restée là immobile à cligner des yeux comme un gros lapin tétanisé par les phares d'une voiture. Nom d'un pipe de bruyère ! J'ai essayé de la regonfler avec des encouragements appropriés :

– Bon d'accord, pas comme le vent. Mais alors traîne-toi aussi vite que tu peux hors d'ici ! ! ! !

L'Abjecte a fini par sortir et je me suis retrouvée seule face aux Craignos. J'ai foncé dans le tas tête baissée en poussant le célèbre cri guerrier bouddhiste « Uuurgghhhhgghhh ! » et en éparpillant les clopes de Jackie dans toute la pièce. Je suis sortie sans demander mon reste, telle la fusée Ariane, pendant que les deux immondes grattaient le sol comme des poules pour retrouver leurs clopes. En deux secondes chrono, j'étais de retour sur le terrain pour la deuxième mi-temps sous les hourras de la foule en délire (le Top Gang), et en me disant que j'allais doublement apprécié le match vu que les Craignos me tueraient tout de suite après.

J'ai remarqué qu'il y avait un troupeau de garçons parqué à l'autre bout du terrain. Il y en a même un qui a poussé des cris de joie quand j'ai fait mon entrée. Sûrement des types de Foxwood. Ah ça, on pouvait compter sur eux dès qu'il y avait un bout de culotte qui dépassait. Ou des « nunga-nunga » qui s'agitaient. Je me demande comment ils ont appris qu'on jouait aujourd'hui. Pas impossible qu'Elvis Attwood ait fait passer le message en tapant sur un tam-tam dans sa hutte. Le vieux bougon était là lui aussi, à rôder en poussant sa brouette devant lui pour faire l'occupé. Il n'y a jamais rien dans sa brouette. Vieux dégoûtant ! Bref, les garçons peuvent mater mes

« nunga-nunga » si ça leur chante, reluquer mes narines qui se dilatent comme des folles, mon popotin qui ballotte au gré du vent, qu'est-ce que ça peut faire???? De toute façon, dès que les Craignos m'auront chopée, je serai morte.

16 h 10 Victoire! Victoire!!!! On a gagné un à zéro. Match très serré compte tenu du fait qu'on jouait contre une bande de nouilles. Il y en a même une qui a couiné sec sous prétexte que je lui filais un coup de crosse malencontreux sur le tibia. Je me demande si le fait de me faire massacrer par Angus depuis des lustres ne m'a pas rendue insensible à la douleur. Bref, le match était presque fini et on était toujours zéro à zéro quand j'ai remonté l'aile droite et je me suis retrouvée dans la surface de réparation de l'équipe adverse. Le Top Gang était déchaîné, les copines scandaient « Allez, Georgia, allez! ». Au milieu des hurlements, j'ai entendu sur ma gauche notre pseudo-capitaine, Lindsay la Nouillasse, qui me criait :

– Passe-moi la balle, numéro huit!

Vous voyez comment c'est dans les films quand tous les mouvements sont décomposés et que c'est au ralenti? C'était exactement ça. J'ai vu le visage de l'Enchouettée passer à deux à l'heure suivi de ses cannes de serin et je me suis dit : « Hahahahahahahahahahaha! » (Sauf que je me le suis dit très, très, lentement.)

Je garde la balle et je fonce vers le but. Je passe un défenseur, puis deux. Bing, je tombe! Hop! je me relève! Je fais passer la balle entre les jambes d'une fille. La foule ne se tient plus. Je suis portée par les vivats. Puis là devant moi, la gardienne de but. Nom d'une pipe à triple foyer, une géante!!!! Hop! je lui fais une feinte à gauche. Elle plonge. La cage est libre. Je tire et je marque!!!!!!!!... et là je vous le donne en mille, pile au moment où Lindsay me tacle sauvagement par-derrière.

16 h 30 La Nouillasse a essayé de nous faire croire qu'elle avait voulu «m'aider». Il semblerait que... non.

Vu les dégâts, Adolfa a demandé à Elvis de me transporter à l'infirmerie dans sa brouette mais il a refusé prétextant une vieille blessure de guerre. Le vieux chnoque a poussé l'engin jusqu'à moi et il m'a fait :

– Montez dedans. Vous n'avez qu'à vous faire pousser par une de vos copines. Moi, je peux pas, je me suis abîmé le dos en servant mon pays.

C'est ça.

J'ai glissé à Jools :

– Il a dû se péter le dos à force de rester assis sur son derrière toute la journée.

C'est Rosie qui m'a poussée jusqu'à l'infirmerie et là, Adolfa m'a bandée. Pas très efficace la tortionnaire, je ne pouvais toujours pas marcher après. Pour couronner le tout, pendant que Super-Sado était en train de m'enturbanner la cheville, agenouillée à mes pieds, mes prétendues copines faisaient semblant de se bécoter dans son dos. Quant aux filles de Hollingbury, elles n'ont même pas pris la peine de se changer, elles nous ont serré la main à la vitesse grand V et elles sont remontées dans leur car vite fait bien fait.

Une fois bandée, j'ai essayé de sauter à cloche-pied mais ça me faisait un mal de chien. Total, Elvis a fini par dire aux copines qu'elles pouvaient prendre la brouette pour me ramener à la maison. Il n'était pas chaud-chaud. Youpi et encore merci !

Après quoi, le cinglé est reparti vers sa cabane en maugréant :

– Vous avez intérêt à me la rapporter demain... C'est ma brouette personnelle et, normalement, elle ne sert pas pour le collège.

Sa brouette personnelle ! Non mais on touche le fond, là, non ?

Et nous voilà parties en brouette. Ce n'était pas trop confo-confo comme moyen de transport et il y avait un bout de substance marronnasse collé dans un coin qui ne me disait rien qui vaille, mais j'ai fait la super héroïque, vu que j'étais l'héroïne de la planète hockey. Héroïque et furieusement modeste. Pour un génie.

À la grille du collège, devinez qui attendait? Dave la Marrade!!! Dieu me tripote, il était donc parmi les garçons agglutinés qui avaient suivi le match!!! Il avait vu en direct et en macro photographie mon énorme popotin ballotter au gré du vent tandis que mon pif surdimensionné s'ébattait follement livré à lui-même. Oh non, dites-moi que ce n'est pas vrai.

Dave était mort de rire en me voyant arriver dans la brouette qui grinçait tout ce qu'elle savait. Quand on a été à sa hauteur, vous ne savez pas ce qu'il a fait? Il s'est prosterné à mes pieds, style adorateur, en psalmodiant:

– Je ne suis qu'un vermisseau. Je ne suis qu'un vermisseau.

Après quoi, il a dit aux copines:

– Allez, les filles, laissez-moi pousser le génie jusque chez elle.

Et hop! le voilà qui se met à pousser l'engin en chantant cette chanson merdique du groupe dont le batteur est soi-disant le sosie de papa (d'après lui)... Queen. Évidemment, la chanson était *We are the Champions*, reprise à tue-tête par le Top Gang. Tout le monde se retournait dans la rue. C'est clair que les gens ont rarement l'occasion de voir quelqu'un en brouette. Avec la vie de nains qu'ils doivent avoir, il y a des chances pour qu'ils se déplacent en voiture. Ou en mob.

Arrivé à mon portail, Dave la Marrade m'a embrassée devant tout le monde!!! Et il m'a fait:

– Salut, beauté. À bientôt. Donne des nouvelles de la cheville. Je repasserai avec des petits cadeaux.

Quand il est parti, les filles ont toutes fait : « Aaaahhhhh ! »

Ellen :

– Écoute, il est vraiment craquant, ton Dave. Il t'a refait le coup du mordillon de lèvres cette fois-ci ou pas ? Ça me plaît cette histoire.

Mais arrêtez, les filles, Dave est une Chèvre, rien d'autre. Faut pas oublier.

18 h 15 J'ai cru que maman allait tout bonnement léviter quand elle a su que je m'étais fait mal à la cheville. Elle m'a plantée dans le jardin, encastrée dans ma brouette, et elle s'est ruée à l'intérieur pour téléphoner au Dr Clooney. De dehors, je l'entendais qui disait à la réceptionniste :

– Si, si, je vous assure. Ça me semble très grave. Non, non, elle ne peut absolument pas marcher. Entendu. Merci.

Libby et sa poupée Barbie plongeuse sous-marine sont sorties voir ce qui se passait et tout ce petit monde est monté dans ma brouette. Avec, en prime, un gros bisou de Libby. Et ne me faites pas dire ce que je n'ai pas dit, j'adore ma petite sœur, mais vous ne croyez pas qu'elle pourrait s'essuyer le nez de temps à autre ? Chaque fois qu'elle m'embrasse, j'ai la joue entièrement barbouillée de morve verte.

Mutti est sortie sur le pas de la porte.

– Le docteur vient après ses consultations. Au fait, chérie, tu me passerais ton mascara ? Je n'en ai plus.

– Ben voyons. C'est toujours à sens unique dans cette baraque. J'aimerais bien voir ta tête si je te disais : « Maman, tu me prêtes ton... »

Cause toujours tu m'intéresses. Mutti était rentrée. Elle m'a crié :

– Dépêche-toi, mon cœur. Va me le chercher.

Hurlement de Georgia, votre serviteur :

– Je peux pas marcher, Mutti ! Au cas où tu n'aurais pas percuté, c'est pour ça que le docteur vient et c'est aussi pour ça que je suis rentrée en brouette.

– Qui te demande de marcher. Tu n'as qu'à sauter de ta brouette et monter à cloche-pied me chercher le mascara. Hop ! hop ! Souffrance. Souffrance. Hop ! hop !

Vous pouvez me dire pourquoi je fais le héron pour aller chercher des trucs à ma mère qui compte s'en servir dans le seul dessein de tromper mon Vati ? (La réponse à cette question est que je ne veux pas qu'elle farfouille dans ma chambre. Elle pourrait tomber sur des trucs qui ne sont pas à proprement parler à moi. Bref, des trucs qui sont à... elle.)

Je lui ai apporté le mascara dans sa chambre clopin-clopant.

– C'est lamentable, Mutti. Quand je pense que tu es en train de te démener pour embobiner un jeune médecin alors que mon pauvre Vati est à deux doigts de rentrer à la maison pour retrouver... un fac-similé d'imposture !

Elle a continué à se pomponner en lâchant quelques tss tss tss.

– Le problème avec toi, Georgie, c'est que tu prends les choses futiles pour des choses sérieuses et malheureusement pas l'inverse.

Trois bonds de héron vers la porte.

– Méga fute-fute. C'est sans doute pour ça que tu te boudines dans des fringues qui sont de toute évidence destinées à des gens : a) plus petits que toi et b) furieusement plus jeunes.

Vous me croirez si vous voulez mais elle m'a jeté sa brosse à cheveux à la tête. Ce n'est pas joli-joli, hein, de s'en prendre à une infirme.

19 h 00 Arrivée du briseur de ménage, j'ai nommé le Dr Clooney. Rebandage de cheville et prescription d'antidouleur.

Moi.

– Je suppose que je peux tirer un trait sur ma carrière de hockeyeuse ? À votre avis, docteur, est-ce que vous pensez que mon régime alimentaire est pour quelque chose dans ma faiblesse de cheville ?

La question l'a fait rire. Beaucoup, si vous voulez savoir.

Mutti :

– Je vous sers un café, John ?

John ? John ? D'où ça sort ce machin ?

Mutti a filé comme une flèche à la cuisine. Je l'entendais au loin qui disait à Libby :

– Libbs, chérie, sors Angus du frigo, tu veux.

– Angus aime.

– Il a mangé tout le beurre !

– Hi hi hi hi hi hi hi hi hi !

19 h 15 J'ai remonté l'escalier cahin-caha sur une seule patte. Dans ma chambre, j'ai mis la musique à fond, un truc bien déprimant, exprès pour leur montrer. Vingt ans plus tard, la porte d'entrée claquait. Je me suis précipitée à la fenêtre façon héron et j'ai vu « John » monter dans sa voiture qui, je dois l'avouer, est plutôt chouette comme automobile.

19 h 45 Vautrée sur mon lit de douleur. Bon d'accord, ça serait le cas si je sentais quelque chose dans la cheville.

Irruption de tête de mère avec fard prononcé dans l'encadrement de la porte.

– Alors comment ça va la cheville ?

– Super. Suffit d'aimer se faire marquer au fer rouge.

– Je reconnais bien là mon petit soldat.

Et hop ! elle est repartie en chantonnant.

Trop cool, une semaine avant le retour de mon père, ma mère vit une aventure torride avec un médecin.

20 h 00 N'empêche, sur le plan médical, je suis sûre de griller tout le monde.

20 h 30 Et puis, si ça se trouve, « John » me dégotera un super plan pour mon opération du nez.

21 h 00 Il faut que je fasse payer à Lindsay la Nouillasse ce qu'elle m'a fait.

22 h 00 Je me demande comment les Craignos vont me trucider.

22 h 10 Pourquoi est-ce que la Chèvre est tellement gentille avec moi ?
Qu'est-ce qui cloche avec ce garçon ?

Mercredi 13 octobre

8 h 30 Maman m'a obligée à aller au collège à cloche-pied. Je n'arrive pas à y croire. Elle prétend qu'on apprend très bien avec la cheville foulée. Je lui ai expliqué que sitôt que j'aurai posé ma patte valide dans le collège, je me ferai tuer par les sœurs Craignos, mais peine perdue.

Jas poussait la brouette du Père Attwood et moi je sautillais à côté en m'appuyant sur une béquille. Les types de Foxwood s'en sont donné à cœur joie en nous voyant. Ils me criaient des trucs, style « Qu'est-ce tu as fait de ton perroquet ? ».

Jas avait retrouvé suffisamment de force pour me sortir :

– Je me demande comment les Craignos vont te faire la peau.

Ça l'intéressait bigrement, tiens ! Po était toute requinquée parce que son Craquos rentrait.

J'ai réussi à éviter les Craignos toute la matinée mais le couperet est tombé à la pause déjeuner. Pas de bol, je me suis fait coincer dans les toilettes. J'ai bien essayé de clopiner vers la porte mais les deux monstres m'ont bouché le passage. C'était parti. Au moins ce qu'il y avait de bien avec la mort c'était que ça réglait le problème la Marrade. Jackie m'a regardée fixement et elle m'a fait :

– Ça te dirait une clope ?

C'était quoi l'idée ? M'immoler par le feu ?

Jackie m'a fourré une clope dans le bec et Alison l'a allumée. Puis Jackie m'a fait :

– Super !

Alison m'a souhaité « Bon pipi ! », et elles ont mis les voiles.

Nom d'une culotte en peau de bête, qu'est-ce que ça voulait dire ? Quelqu'un pourrait m'expliquer pourquoi elles ne m'avaient pas bourrée de gnons ?

J'ai sautillé jusqu'à la glace pour voir de quoi j'avais l'air avec une cigarette. Pas mal, je dois dire. En plaquant à mort mon nez à l'intérieur de ma figure, personne ne pouvait nier que j'avais un petit côté italien.

Juste du coin de la bouche, j'ai fait à la glace :

– *Ciao, bella.*

Mais trop dommage, de la fumée m'est rentrée dans le pif et je me suis mise à tousser comme une phtisique.

Je n'arrive pas y croire. J'étais en pleine quinte de toux quand qui je vois dans la glace ? Lindsay. Eh bien, vous ne me croirez jamais, la Nouillasse m'a filé une punition pour avoir fumé dans les toilettes. En sortant dans le couloir, j'ai vu les sœurs Craignos qui ricanaient comme des bossues. Comme par hasard.

Super. De corvée de tapis de gym tout le trimestre. Elvis est passé juste au moment où j'étais en train de transporter ces foutus tapis en sautillant sur une patte. Mort de rire, le vieux chnoque.

En route pour la maison, façon Miss Patte-Folle. Je vous ferais dire que la claudication a quelque chose d'assez séduisant si on va par là. À condition bien sûr d'être branché vieux cow-boy qui en a vu des vertes et des pas mûres.

Entre deux sautillements, j'ai sorti à Jas :

– Je crois que je vais laisser tomber avec les garçons. Je plaque la Marrade et je fais une croix sur Super-Canon. C'est décidé, je me concentre sur l'école, les études et les machins à apprendre. Pas impossible d'ailleurs que je demande à Herr Kamyer de me filer des cours particuliers.

– Si jamais tu fais ça, il a le spasme de la mort.

– De toute façon, je crois que je ne suis plus amoureuse de Super-Canon. L'autre jour, quand je l'ai vu dans sa Mini venir chercher l'Enchouettée, ça m'a salement douchée. Un type qui arrive à sortir avec Lindsay la Nouillasse, vu son front de naine, ses jambes de phasme et... heu...

– Ses yeux globuleux ?

– C'est ça, ses yeux globuleux. Bref, le type qui arrive à faire ce truc-là ne tourne pas rond si tu veux mon avis. D'ailleurs, tu sais quoi ? Si jamais là il me demandait de sortir avec lui, je dirais nung.

C'était « non » que j'avais voulu dire mais pile au même moment qui je voyais adossé à sa Mini ? Lui, Super-Canon. Ne me dites pas qu'il attend la sublime (cherchez l'erreur) Nouillasse. Trop lamentable ! *Beaucoup le lamentable* et *beaucoup le consternant.*

J'ai dépassé Super-Canon en boitillant et je me suis aperçue au passage qu'il n'était pas si terrible que ça finalement. Oh, que si il était craquant ! Il était à tomber, oui. Il m'a regardée droit dans les yeux et je me suis transformée illico en poulpe. Pour tout vous dire, mon unique jambe valide a failli carrément se dérober tellement ça flageolait dans le bâtiment. Il m'a fait un petit sourire qui m'a propulsée droit dans la souvenance de la sensation démente de ses lèvres sur les miennes. Ne me demandez pas comment j'ai fait, mais j'ai continué à boitiller avec ma jambe en compote de pommes et je l'avais dépassé quand j'ai entendu derrière moi :

– Georgia, je peux te parler une seconde ?

Ohnonohnonohnonohnonohnon. Est-ce que par hasard nous étions en train d'aborder une phase de la Théorie de l'Élastique ? Et Jas qui restait là comme une gourde à tenir la chandelle.

Moi :

– Vas-y, Jas. Je te rejoins plus tard.

– Te bile pas, Gee, je suis pas pressée. De toute façon, tu risques de tomber et si jamais personne t'aide à te relever, tu vas rester sur le dos comme une tortue ou bien...

Je lui ai fait les yeux méchamment ouverts avec lever de sourcils maxi, histoire qu'elle percute et dégage vite fait. Quarante ans plus tard, l'information atteignait enfin son cerveau.

Dès qu'elle a eu le dos tourné, Robbie m'a fait :

– Écoute, je sais que je suis la dernière personne à qui tu as envie de parler mais... Voilà, je voulais juste te dire un truc. Il faut que tu m'excuses pour ce qui s'est passé entre nous. Je m'y suis pris comme un manche. Je reconnais. Elle... je veux dire, Lindsay... était tellement mal et toi, tu étais si jeune que je n'ai pas pu... Je ne voyais pas quoi faire d'autre. Je me disais que j'allais quitter la ville et que comme ça, le problème serait réglé... mais j'ai assisté au match...

Non mais ce n'est pas vrai, y a-t-il quelqu'un au monde qui ait échappé au spectacle consternant de mon énorme popotin ballottant autour du terrain de hockey au rythme des envolées de mon super tarin ?

Pendant que je m'interrogeais, Super-Canon poursuivait de sa voix trop sexy.

– ... et j'ai vu Lindsay te faire mal exprès... et je... pardonne-moi. J'ai vraiment fait du gâchis alors que tu es une gosse formidable... Écoute, je...

Puis, j'ai entendu :

– Robbie !!!

C'était Lindsay qui avançait vers nous à grandes enjambées. C'était plus que je ne pouvais en supporter. Je suis repartie sur ma jambe.

17 h 00 Nom d'une culotte à franges, je l'aime. Je l'aime !!!!!

Super-Canon pense que je suis une gosse.

Ceci n'est qu'un fac-similé d'imposture.

En boîte.

Et flûte.

Et crotte de bique.

Et *caca*.

Super-Canon a assisté au match. Il m'a vue avec ma *culottus monumentus!*

Mais il me parle quand même.

À la réflexion, Jas n'est peut-être pas aussi siphonnée qu'elle en a l'air. Si ça se trouve, les culottes méga couvrantes sont des pièges à garçons.

Oh, je n'en sais trop rien !

Pourquoi est-ce que Super-Canon me fait toujours la jambe de poulpe ?

18 h 00 Dave la Marrade m'a déposé une carte à la maison. Elle dit comme ça : *Les filles à une patte sont méga craquantes. Love. Dave. xxxxxx.* Sous la carte, il y avait une boîte de chocolats. OHNONOHNON-OHNONOHNONOHNON !!!!!!!

11 h 00 Je suis un être immonde. J'ai largué Dave. Il le fallait. C'était atroce. J'ai cru qu'il allait chialer. Il était passé à la maison avec un bouquet de fleurs pour me consoler de ma cheville. Je me suis dit qu'il était tellement mignon que ce n'était vraiment pas chic de continuer à le faire marcher. Alors, je lui ai dit qu'en fait il était une Chèvre.

14 h 30 Coup de fil à Jas.
— Il m'a dit que j'étais une profiteuse et... heu... un autre truc...
— C'était pas égoïste par hasard ?
— Non.
— Alors, ce serait pas la personne la plus dégueulasse qu'il ait jamais rencontrée ?
— Non.
— Ben, c'est peut-être super immonde, style ver de terre...
— Jas, ferme-la.

Au lit

20 h 00 Suis-je réellement immonde ? Si ça se trouve je suis comme ces gens qui ne ressentent pas les choses normalement. Style Madonna.

22 h 00 Personnellement, je trouve que j'ai fait preuve d'une grande maturosité doublée d'une grande sagessitude.

23 h 00 Un jour, la Marrade me dira merci.

minuit Angus est encore perché sur le mur d'en face à contempler sa bien-aimée, Naomi, gambader dans son enclos. Je ne suis pas seule à être malheureuse en amour.

3 h 00 Réveillée par une Libby profondément endormie qui me secoue brutalement.
– Bouge, Gee, me fait l'enfant sans ménagement.
Je m'exécute et voilà toute la smala qui rapplique dans mon lit. J'ai nommé Libby, sa Barbie, Charlie le cheval et j'en passe. Il me reste environ un demi-centimètre de lit pour dormir. Merveilleux. Total merveilleux.

Lundi 18 octobre

Au collège
Récré

14 h 15 Ce qu'il y a de bien au moins, c'est que la vie ne peut pas être pire. Erreur. Elle peut. Malgré les seaux d'eau glacée qui tombent dru, les Jeunesses hitlériennes nous ont forcées à sortir dehors. Manque de bol, c'est Lindsay la Nouillasse qui est de surveillance. Je lui ai fait comme ça :
– C'est contraire à la Convention de Genève de nous obliger à sortir par moins cinquante.
L'Enchouettée n'a pas été sensible à mes arguments. Elle a refermé la porte vitrée avec un petit sourire à la noix. Et comme elle a vu que je la regardais, elle a fait celle qui enlevait son pull ostensiblement et qui s'essuyait le front, style il fait une chaleur d'enfer. Oh, *très riant*, l'Enchouettée.
On avait tellement envie de se réchauffer avec Jas qu'on est allée faire un tour du côté de la hutte d'Elvis. L'idée, c'était de squatter en cas d'absence du vieux branque. Pas de chance, le twisteur était dans ses pénates en train de lire le journal. Vous ne le croirez jamais : Elvis met des cache-

oreilles sous sa casquette extra plate! C'est Mme Elvis qui doit être fière. J'ai tapé au carreau, histoire de lui faire un petit coucou amical, mais le bougon n'a rien entendu, rapport aux cache-oreilles.

Moi :

– Je crois qu'on va bien rigoler, *mon petite camarade*. Je vais dire à Elvis un truc méga urgent style : « Vite, monsieur Attwood, ma copine a pris feu!!! » sauf que je ferai seulement semblant, je le mimerai si tu veux, tu piges ?

Aussitôt dit aussitôt fait, je me suis pointée à la porte de la cabane et j'ai articulé sans un son : « Vite, monsieur Attwood, ma copine a pris feu!! », en agitant les bras comme une folle. Deux ans plus tard, Elvis enlevait ses cache-oreilles pensant ingénument que ses chaufferettes l'empêchaient d'entendre. Quand le vieux machin a compris que je m'étais payé sa tête, il a crisé sévère. Il a giclé de sa chaise avec une violence proprement effrayante pour un sujet qui a dépassé les cent quatre-vingts ans. On a pris la poudre d'escampette à la vitesse grand V, moi c'était plutôt petit v, rapport à la patte folle. Trop dommage pour le très vieux, il avait oublié qu'il avait garé sa brouette personnelle derrière sa hutte, si bien qu'il s'est pris le gadin royal à triple salto avant. J'ai failli mourir de rire. On s'est vautrées sur le muret derrière les tennis pour pouvoir hoqueter plus confo.

Je n'arrivais plus à respirer tellement je riais mais, dès que j'ai pu, j'ai fait à Jas :

– Jas… Jas… il… il a la tête plate !

Et c'était reparti. Re-fou rire de hyènes déchaînées. J'en avais mal au bide.

Français

 Comme c'est lundi, pour nous « faire plaisir », Mme Slack nous a appris une nouvelle chanson française. Celle-ci s'appelle *Sur le pont d'Avignon*. Elle parle de gros nuls qui dansent sur un pont. Tout ce que je peux dire, c'est que décidément les Français et moi, on n'a pas la même idée de la marrade. Mais si jamais un jour je mets les pieds en pays frankaouï, je pourrai toujours dire à mes nouveaux amis indigènes que mon merle a perdu une plume et méga avantage, je pourrai également danser sur les ponts. C'est clair que j'aurai beau faire, ça ne m'aidera pas pour acheter une baguette.

À la fin du cours, Lindsay la Nouillasse en assistante de l'*Oberführer* est entrée dans la classe pour nous transmettre un message de la hiérarchie. L'Enchouettée a souri et je vous prie de croire que ce n'était pas séduisant du tout comme affaire et encore moins amical. Elle a fait :

– Georgia Nicolson, tu es convoquée dans le bureau de Mlle Simpson... TOUT DE SUITE !

15 h 30 Devant le bureau de la Mère Fil-de-Fer. Oh, flûte ! *Quelque dommage* et *sacré bleu* par le fait !

Et qu'est-ce qui m'arrive encore ? Je suis au bord du fou rire. Je vais vous le dire ce qui m'arrive. Lindsay faisant office de berger allemand pour la Mère Fil-de-Fer, c'est elle qui me surveille. Alors comme je l'ai sous les yeux, je ne sais pas ce qui me passe par la tête mais je me mets à penser à ses strings et j'imagine la ficelle en train de lui remonter le long de la raie des fesses. Et voilà, ça redéclenche mon hilarité.

Évidemment, c'est là que la très molle me fait appeler. Pile au moment où je me retiens tellement de ne pas pouffer que j'en suis total cramoisie.

La Mère Fil-de-Fer :

– Georgia, ce que vous avez fait est impardonnable. Cette fois-ci, vous avez dépassé les bornes. Le béret en garde-manger, le nez collé au scotch, les fausses taches de

rousseur, toutes ces farces infantiles que j'ai dû supporter... L'année dernière, il y a eu le squelette avec l'uniforme de M. Attwood, les sauterelles...
Le flan géant délirait à plein régime.
– ... j'espérais que vous auriez un peu mûri. Quand je pense que vous avez abusé de la crédulité d'un vieil homme fatigué...
Et bla-bla-bla et bla-bla-bla.
Inutile que j'explique quoi que ce soit. Elvis s'était démis l'épaule et on me collait le sinistre sur le dos. Super. Bref, pour vous résumer, j'ai écopé d'une semaine d'exclusion et Jas de la corvée de vestiaire. Cerise sur le gâteau, la Mère Fil-de-Fer m'a dit qu'elle allait écrire un mot méga sévère à mes parents pour leur expliquer le topo. Moi gentille, je propose d'apporter le foutu mot en main propre, mais la très molle tient absolument à l'envoyer par la poste.

Retour à cloche-pied à la maison avec Jas. Pour être honnête, j'avais un léger bourdon. Pour changer. Je ne m'étais même pas fait le béret en garde-manger, c'est vous dire.

Moi :
– Fil-de-Fer est trop suspicieuse à la fin ! D'un côté, elle pense que je ne donnerai jamais le mot à ma mère et de l'autre, elle est persuadée que je me débrouillerai pour lui cacher que je suis exclue.

– Hmmmm... Qu'est-ce que tu comptais dire à ta mère après avoir déchiré le mot ?

– Jas, tu es aussi mauvaise qu'elle.

– Je sais. Mais juste pour savoir, qu'est-ce que tu aurais dit à ta mère ?

– Je pensais tenter le mal de bide mystérieux. Je ne m'en suis pas resservie depuis la compo de maths de l'an dernier.

16 h 00 À la maison. Génial. Ma vie est trop géniale. Trop *perfectamondo*. Exclue juste à temps pour que Vati me zigouille dès son arrivée. Amoureuse d'un Super-Canon qui me considère comme une gosse. Traitée de machin sans cœur par Dave la Marrade. Et, comme si ça n'était pas suffisant, le furoncle que j'ai sur l'arrière-train me perfore la fesse. Je me demande ce que Bouddha ferait à ma place ?

16 h 30 En train d'attendre le retour de Mutti pour lui annoncer la super nouvelle.

17 h 00 Coup de fil à Jas. C'est sa mère qui répond.
– Bonjour, madame. Est-ce que je pourrais parler à Jas, s'il vous plaît ?

La mère criant à sa fille du bas de l'escalier :
– Jas, c'est Georgia au téléphone.

Réponse de la fille sur le même mode mais dans l'autre sens :
– Dis-lui que je la rappelle. Tom est en train de me montrer un nouveau jeu sur l'ordinateur.

Un nouveau jeu sur l'ordinateur ? Ces gens-là ont-ils tous franchi la frontière du barjo-land ?

Tiens, j'aimerais bien voir ça si je hurlais de ma chambre à ma mère qu'un garçon est en train de me montrer un jeu sur l'ordinateur ! Je ne vous raconte pas la rapidité du rassemblement parental dans la piaule ! ! ! !

À moins que le garçon ne soit mon cousin James, auquel cas on me laisserait moisir cent ans avec lui, vu que ma famille ne semble pas opposée à l'inceste. Loin s'en faut.

18 h 30 Mutti a carrément pété une Durit avec l'histoire de l'exclusion. Et pourtant, je lui ai bien expliqué que ça n'était pas ma faute mais celle d'Elvis qui m'avait méchamment provoquée.

177

Quand la fumée a cessé de lui sortir des oreilles, elle m'a fait :

– Dis-moi, tu ne crois pas que tu aurais un début de gastro ?

– Et c'est reparti. Écoute, Mutti, c'est pas le moment d'aller faire des civilités à Super-Toubib. Tu ferais mieux de penser à Vati.

– C'est à LUI que je pense justement ! Et tu sais ce que je pense ? Je pense qu'il peut devenir dingue si la première chose qu'il apprend en arrivant à la maison, c'est que sa grande fille a été exclue du collège. Bon, alors maintenant, tu ne te sentirais pas un peu faiblarde ?

Dans ma chambre

20 h 30 Mutti m'a « suggéré » de me coucher tôt pour réfléchir (pour une fois) aux choses importantes de la vie. Mère a raison. Réfléchissons aux choses importantes de la vie. À commencer par :

Mes cheveux… pas si mal quand on est branché châtain terne. Je reste persuadée que la mèche blonde est une idée de génie en dépit du léger incident survenu la dernière fois que j'ai tenté l'expérience de la décoloration. La touffe qui m'était restée dans la main a fini par repousser mais je me suis aperçue qu'entre temps Mutti avait planqué tous les produits pour nettoyer les cabinets ainsi que le machin dans lequel grand-père fait tremper son dentier quand il dort à la maison. Cette femme-là a une âme de chien policier.

Bref, où en étais-je ? Ah oui, mes yeux… assez beaux ce me semble. Je vous ferais dire qu'ils tirent sur le jaune. Jas m'a dit que j'avais des yeux de chat.

Mon nez… faut se rendre à l'évidence, l'appendice ne rapetisse pas. Le truc méga déplaisant dans cette affaire, c'est le côté spongieux. C'est comme si je n'avais pas d'os à l'intérieur. Et puis je n'arrive pas à m'ôter de la tête ce que grand-père raconte à propos du nez, à savoir que plus on devient vieux, plus la gravité le tire vers le bas et plus il allonge.

20 h 35 Et si je me faisais une sorte de lance-pierres à pif avec une culotte ! Ça ferait un système anti-gravité du tonnerre. Il suffit que j'enfile une jambe de culotte sur chaque oreille et comme ça, j'aurai le pif soutenu par le milieu. Plutôt confo comme affaire. Je ne prétends pas que ce soit sexy. Je dis juste que c'est confo.

20 h 40 Je précise que ce n'est pas exactement le genre d'accessoire que je porterais ailleurs que dans ma chambre.

20 h 45 J'ai un point de vue d'enfer depuis ma fenêtre. En ce moment, je vois M. Porte-à-Côté en train de jouer avec ses sous-chiens dans son jardin. Le monumental est tout content depuis qu'Angus a laissé tomber la persécution de caniche pour roucouler auprès de sa bombe birmane.

20 h 46 Devinez qui passe dans la rue ? Grosse-Bouche, mon ex, le peloteur de seins. Au rythme où ça va, il restera peut-être mon premier et mon dernier peloteur. Si ça se trouve, je mourrai non pelotée. Vu l'heure, Grosse-Bouche doit rentrer de l'entraînement de foot. Je ne sais pas comment j'ai pu envisager de me bécoter avec ce type, il met des pantalons à pleurer. Tiens, il regarde vers ma fenêtre. Il m'a vue. Il s'arrête pour me regarder. Vous voulez que je vous dise, on ne se refait pas. Un piège à garçons reste un piège à garçons. Je vais lui balancer un de ces regards, style : « Eh oui, Grosse-Bouche, monsieur Largueur de mes deux, je suis peut-être bien la larguée mais tu n'arrives pas à me quitter des yeux, pas vrai?» C'est dingue à quel point je le fascine toujours. Il reste là à me dévorer des yeux sans pouvoir détacher son regard de moi.

Comme hypnotisé.

20 h 50 Oh non!!!!!! J'ai ma culotte porte-nez sur la figure!

20 h 56 Il va le raconter à tous ses copains.

20 h 57 Vous allez voir qu'en plus de goudou, je vais être traitée de renifleuse de culotte.

minuit Nom d'une pipe en écume! Qu'est-ce qu'il y a encore? On ne peut pas dormir tranquille. J'entends des gens jurer comme des charretiers. Ne me dites pas que Vati est rentré plus tôt. Après vérification, il s'agit de M. et Mme Porte-en-Face. Les nouveaux voisins sont dans leur jardin et ils balancent des trucs et des machins dans tous les sens en hurlant comme des sourds. Ils agitent même des lampes de poche. Je me demande bien ce qui leur prend. Excusez-moi, mais ce n'est vraiment pas l'heure pour une surboum.

2 h 00 Réveillée en sursaut sur le point d'étouffer. Je rêvais que mon nez devenait de plus en plus grand et mes flotteurs de plus en plus gros. Et aussi qu'il y avait quelqu'un qui se payait ma tête ouvertement en riant à gorge déployée. J'avais l'impression de ne plus pouvoir bouger du tout à part la tête justement. La sentence était tombée, condamnée à la paralysie pour avoir été immonde avec Dave la Marrade.

En vrai, Libby riait comme une tordue (qu'elle est bien

sûr) à côté de mon lit. La délicieuse enfant m'a tiré les cheveux et elle m'a fait :

– Regarde, vilain garçon !!!! Aaahh.

Le poids que j'avais sur la poitrine n'était autre qu'Angus roulé en boule. Le monstre ronronnait comme une turbine. Tu m'étonnes que je ne pouvais plus bouger, il pèse une tonne cinq. Gros machin velu, va ! Je vais te mettre au régime sec. Je vous assure qu'on dirait un petit cheval.

Mais attendez une seconde. Le monstre n'est pas tout seul. Il a invité sa Naomi et vous savez quoi ? Elle est couchée sur lui !!!!!!!! Nom d'une culotte bouffante !

Bon, j'ai réussi à les faire descendre (après qu'Angus m'a déchiqueté la main pour l'avoir dérangé) et ils ont filé dehors. Je trouve Naomi plutôt dessalée pour un chat à pedigree. Figurez-vous qu'elle avait littéralement la tête dans le derrière d'Angus quand ils ont passé la porte.

Il faut que je repense à tout ça demain matin. Je ne dois pas prendre de décision hâtive. Style mettre les Porte-en-Face au courant de la situation féline par exemple.

Mardi 19 octobre

8h45 Méga ramdam. M. et Mme Porte-en-Face sont venus « s'enquérir » de leur bombe birmane. Je dois préciser que le Père Porte-en-Face était armé d'une pelle et que tout le monde a entendu distinctement : « le dépecer pour en faire des pantoufles ». En refermant la porte sur le forcené, Mutti m'a sorti :

– C'est quand même un peu fort de s'en prendre à Angus chaque fois qu'il se passe quelque chose dans le quartier.

– C'est vrai, ça. Angus est un bouc machin. Comme moi.

– Toi, tais-toi et sors les ballons.

16 h 00 Ballonville.

La maison est couverte de ballons. J'ai même accroché une banderole au portail sur laquelle j'ai écrit : « BIENVENUE VATI ! »

Pour fêter l'arrivée de son papa, Libby lui a confectionné un truc positivement répugnant à base de pâte à modeler et de poils. L'enfant a enfilé tous ses déguisements les uns sur les autres. Ça veut dire : le costume de Petit Chaperon rouge, les ailes de fée, le serre-tête à antennes et le costume de Pocahontas. Pas aisé pour se déplacer.

Pas trace d'Angus ni de Naomi. Les félins ont dû se dégoter un petit nid d'amour quelque part. Pourvu que mes culottes n'aient rien à voir là-dedans.

17 h 00 Arrivée des premiers siphonnés.

Grand-père a presque failli me briser les côtes. Il a une force surprenante pour un type qui frôle les deux cent huit ans. Après m'avoir filé un bonbon, l'ancêtre m'a fait :

– Inutile d'envoyer grand-mère au charbon, elle a ce qu'il faut comme braise dans la culotte !!!

Non mais de quoi il me parle ? Mutti lui a offert un verre de sherry. Nom d'une pipe bouffante, elle est inconsciente ou quoi ? Avec un sherry dans le nez, on est sûr d'avoir droit à la danse « désopilante » du dentier. Hors clapet, bien sûr.

18 h 00 L'excitation est à son comble (je plaisante).

Arrivée de Vati sur la bécane préhistorique d'oncle Eddie. Vu la façon dont il a sauté du side-car, il aurait pu se faire méchamment mal, à son âge.

Mutti et Vati se sont pratiquement auto boulottés. Beurk !!! Comment peuvent-ils faire un truc pareil ? En public.

Je me demande si Vati ne chouinait pas un peu. Difficile de savoir quand le sujet a une pilosité faciale aussi développée. Moi, il m'a serrée dans ses bras en me faisant :
— Oh, ma Gee... tu... tu m'as tellement manqué ! Et moi, je t'ai manqué, dis ?
— Nnnnoui.
Et là, Mutti me jette un regard éloquent. Alors, je me plie en deux vite fait, style j'ai atrocement mal au bide. On s'était mis « d'accord » toutes les deux pour démarrer le scénario du mal au bide assez tôt de façon à ne pas éveiller les soupçons demain matin. D'ailleurs, à ce propos, je commence à me sentir pas bien du tout. C'est très curieux comme affaire d'avoir à nouveau Vati dans le secteur. La bonne nouvelle, c'est que Mutti m'ignore pratiquement. Quant à Vati, il fait le gars qui s'intéresse... aux compos, aux notes et à toutes ces choses passionnantes.

19 h 00 Les gens n'arrêtent pas d'arriver. L'allée est bondée, il y a des voitures et des vieux pochetrons partout. Mutti et Vati se tiennent par la main. C'est lamentable comme spectacle. D'autant qu'à leur âge, ils devraient avoir un peu plus de jugeote. Je me demande si je ne devrais pas prévenir Vati qu'il est en concurrence avec George Clooney. Finalement, non. À quoi bon ?

0 h 30 Oncle Eddie est effroyablement pompette. Il s'est collé un des hochets à ventouse de Libby sur le crâne. On dirait un robot de la série Docteur Who avec ce machin scotché sur sa boule de billard. Libby est morte de rire. Ça fait deux millions d'années qu'Œuf-Dur-à-Pattes répète en boucle « Extermination ! Extermination ! » Mais les choses se gâtent quand Libby veut récupérer son jouet et qu'oncle Eddie ne peut plus le retirer. Tous les soûlographes s'y sont mis. Vous auriez vu ça. Une bande de pochetrons accrochés à un hochet. Total, le machin a fini

183

par céder et oncle Eddie s'est retrouvé avec une marque violette d'un bon mètre de diamètre sur le front. Plutôt hilarant comme affaire.

1h00 Je suis descendue au salon rappeler aux joyeux fêtards que, certaines personnes ayant la prétention de dormir, il serait souhaitable de baisser la compile de Abba. Malheureusement, cette intervention m'a donné l'occasion de voir les vieux débris « danser ». C'était proprement consternant. Vati ondulait du bassin en tapant dans ses mains telle une otarie. Ah, j'oubliais le meilleur, il chantait à tue tête : « *Hey you ! Get off my cloud !!* », style très vieux Mick Jagger et comme l'autre n'a plus d'âge, je vous laisse deviner le niveau de vieillerie et de ridicule atteint par mon Vati. Atrocement vieux et atrocement ridicule comme niveau. Voilà.

Mutti avait le rouge aux joues, ce n'est rien de le dire. Elle dansait le TWIST avec M. Porte-à-Côté. Et arriva ce qui devait arriver, la surcharge pondérale du voisin les a gravement projetés sur le tapis les quatre fers en l'air.

Mercredi 20 octobre

12h30 Réveillée à midi pile.
Maman est dans la cuisine avec son tablier noué autour de la taille en train de préparer le petit déjeuner pour toute la famille. Désolée, c'est une erreur. J'essayais juste d'imaginer comment ça fait quand on a une famille normale où ce genre de chose se pratique. Au pays des Nicolson, le père et la mère sont toujours au lit, même si leur petite dernière occupe la meilleure place au milieu. Hier soir, j'aurais bien voulu que Libby dorme avec moi, mais elle a refusé tout net en me filant un ramponneau.

– Non, Vilain garçon. Libby dort avec Gros Vilain !
(C'est comme ça qu'elle appelle Vati.)

Angus était en train de roucouler je ne sais où avec sa bombe birmane et moi, j'étais... seule. Dans ma chambre. Couchée sur mon lit de douleur. Je vous ferais dire que ce n'est pas parce que tout le monde s'en tamponne que je n'ai plus mal à la cheville. Très, très seule. Comme d'hab'. Seule comme un... heu... un élan.

Vous avez déjà vu un élan faire la bringue avec ses collègues ? Non, l'élan est toujours sur son quant-à-soi, figé au sommet d'une montagne. Seul.

OK, j'ai pris la décision d'adopter la ligne bouddhiste. À partir de tout de suite là maintenant, je me réjouis à mort du bonheur des autres...

12 h 45 On sonne à la porte.
Première tentative pour intéresser les parents
– Ça sonne chez vous !

Pas de réaction chez les imbibés.

Re-sonnerie. À tous les coups, c'est les Porte-en-Face qui viennent perquisitionner pour pincer Angus et sa bombe birmane.

Dring ! Dring. !

J'ai clopiné jusqu'au rez-de-chaussée en hurlant derechef :
– Ne vous bilez surtout pas à cause de ma patte folle ni de mon mal au bide de l'enfer qui m'empêche d'aller à l'école... je vais aller ouvrir. Vous, continuez donc à reprendre les forces que vous avez perdues en levant cent douze mille verres à la seconde !

Silence. Exception faite d'un léger ronflement de Libby.

J'ai ouvert la porte.

Devant moi Super-Canon.

Sur mon paillasson.

Sublime comme un Super-Canon.

Sur mon paillasson.

Super-Canon était descendu sur mon paillasson.

J'étais en pyjama Teletubbies.

Super-Canon m'a fait :
– Salut.
Et moi, j'ai fait :
– Sannnnnnnnnnnnggggggghhhhhhhh.

13 h 00 Je me suis habillée à la vitesse de la lumière, enfin j'ai essayé. Car, vous savez quoi ? Super-Canon m'a filé rendez-vous à la cabine avec projet de promenade au parc. Cinq bonnes minutes d'hésitation sur « je mets du rouge ou pas ». C'est vrai, est-ce que c'était vraiment la peine d'en mettre si jamais il y avait bécot ? Mais en même temps, si je n'en mettais pas, est-ce que ça ne faisait pas la fille qui espérait se faire bécoter et là, on était en droit de se demander si ça ne filait pas trop la pression au garçon qui pouvait du coup repartir à l'autre bout de l'étirabilité de son élastique ?

Ooooooohhhhh, je sentais mon cerveau virer à la crème de marrons. Je savais d'avance que je sortirais un truc tellement tarte à Super-Canon que même moi je m'apercevrais que c'était tarte. C'est vous dire le degré de tartitude.

Je n'ai pris aucun risque au rayon bouts de seins, je les ai calés dans un soutif et j'ai colmaté le tout avec un Damart. Préférable de les laisser en dehors de ça s'ils y consentaient, bien sûr.

Retrouvons notre sérénité. Om... Om... Ohnonohnonnohnonohnonohnonohnon. J'ai l'impression que ma langue a quintuplé de volume, vu ce qui lui reste comme place dans ma bouche. Est-ce que par hasard les langues pousseraient ? Ça, ce serait le pompon si j'avais un bout de langue qui dépassait du coin de la bouche. Ferme-la, cerveau !

13 h 25 Super-Canon était au rendez-vous, appuyé négligemment contre un mur ! Trop trop craquant avec sa mèche qui lui retombait bêtement sur l'œil.

Il a suffi d'un regard pour que je me retrouve à nouveau gravement liquéfiée façon poulpe.

Super-Canon m'a fait :

– Salut, Georgia. Approche.

Et moi :

– Mon père s'est fait pousser une petite barbe et, à un moment, j'ai cru que j'allais être aussi seule qu'un élan.

Nom d'une culotte à volants, qu'est-ce que j'étais en train de lui raconter ? Comme de bien entendu, j'étais la dernière à le savoir.

SUPER-CANON M'A TENDU LA MAIN !!!! Moi qui en avais rêvé jour et nuit, vous savez ce que j'ai fait ? Je l'ai serrée !!!!

Ça l'a fait beaucoup rire. Puis il m'a pris la main et on est partis au parc. Main dans la main. Devant tout le monde. Moi et Super-Canon. Honnêtement, je ne voyais pas ce que je pouvais dire. Enfin si, mais je crois que, comme d'habitude, il n'y aurait eu que les chiens pour comprendre. Ou grand-père.

Au parc, on s'est assis dans l'herbe même si c'était un peu prématuré sur le plan frisquet de la nouille pour ce genre d'activité. Trop dommage, j'ai eu effectivement envie de faire un tour au service pipi et Cie mais je n'ai pas mentionné la chose.

Super-Canon m'a regardée style une éternité comme durée et ensuite, devinez quoi ? Il m'a embrassée ! Je ne vous raconte pas la sensation : un genre de mélange de vagues qui s'écrasent sur les rochers et de ventre méchamment aspiré. À première vue, on pourrait penser que ce n'est pas franchement agréable. Mais détrompez-vous, c'était top. Super-Canon a pris mon visage entre ses mains et il m'a embrassée avec une fermeté certaine, je dirais. J'ai cru que je ne retrouverais jamais mon souffle et j'avais l'impression d'être méga brûlante en même temps. Trop génial ! En moins de deux, on avait grillé tous les niveaux de notation du bécot. Primo, le niveau quatre (baiser de plus de trois minutes sans reprendre son souffle), un petit break histoire de ne pas mourir asphyxiés puis deuzio, le niveau cinq (baiser avec la bouche entrouverte) et tertio, un brin de niveau six (baiser avec la langue). Yessssss!!!!!!! J'étais allée au niveau six avec Super-Canon!!!!! Rebelote!!!!

Après les bécots, on a discuté un peu. Enfin, surtout lui globalement. Pour ma part, j'étais incapable d'aligner deux mots qui se tiennent. Chaque fois que je pensais à un truc à lui dire, c'était style : « Ça te dirait de voir mon imitation du germe du tétanos ? » ou bien « Ça t'ennuie si je mange ta chemise ? ».

Il a posé son bras autour de mes épaules (ce qui était une excellente initiative de sa part dans la mesure où, de cette façon, je lui présentais mon appendice nasal de profil et non dans toute la démesure de son exposition de face), et il m'a fait :

– Je n'ai pas pu t'oublier, Georgia. J'ai essayé, tu sais. J'ai même essayé de me réjouir de te voir sortir avec Dave, mais ça n'a pas marché. Tu sais quoi ? J'ai écrit une chanson pour toi. Ça te dirait de l'entendre ?

J'ai réussi à dire « oui » sans même prendre l'accent français ou faire une autre excentricité du même acabit. Et lui m'a genre tirée en arrière pour que je me retrouve la tête sur ses genoux. C'était plutôt agréable sauf que je lui voyais dans les trous de nez. Je n'avais rien contre, parce que c'étaient les trous de nez de Super-Canon et que je l'aimais. Ce n'était pas comme si j'avais regardé dans ceux de mon cousin James, une exploration qui ferait dégobiller la première venue. Mais après, je me suis dit comme ça que s'il s'apercevait que je lui regardais dans les trous de nez, il risquait de trouver ça malpoli. Alors, j'ai choisi l'option yeux fermés avec ébauche de sourire avantageux

Bref, le voilà qui s'est mis à chanter l'œuvre composée à mon intention. Bon, les paroles étaient plutôt rares. Ça se résumait grosso modo à : « Et il fallait que je la revoie » entrecoupé d'un fredonnon et d'un paquet de « yeah ». L'ennui, c'est qu'il secouait son genou pour marquer le rythme et que ça me faisait ballotter la tête à tire-larigot. Aucune idée de ce que ça donnait sur le plan séduction.

16 h 00 Super-Canon a quitté l'arène. Il m'a dit que quand j'aurai mes quinze ans le mois prochain, on pourrait dire officiellement qu'on était ensemble. Il va même en parler à ses parents.
Je suis irrésistible.
Je suis un véritable PIÈGE à garçons.
Même quand j'ai mon pyjama Teletubbies.
Même sans mascara.
La vie est mervi merva merveilleuse ! ! ! !
Yessssssss ! ! ! ! ! ! ! ! ! Et triple ahahahahahahahahaha hahah ! ! ! !

17 h 00 Mutti et Vati ont fini par se lever. De toute façon, je m'en bats l'œil vu que j'ai passé la *twilight zone* du mêêêêêêêêêêrveilleux et que j'habite maintenant sur la planète du trop génial.
Vati est atrocement de bon poil. Il passe son temps à tout regarder dans la maison en poussant des « Aahhhh » ou, sinon, il me serre convulsivement dans ses bras. J'aimerais bien qu'il redevienne normal. Je me demande combien de temps il va tenir avec ces fadaises de « famille heureuse » avant de renfiler son costume de père.

18 h 00 Une heure. Il a tenu une heure.
J'étais au téléphone quand il a remis ça. Pour ne rien vous cacher, j'étais en train de raconter à Jas le dernier épisode Super-Canon.

189

– Ouais, t'as qu'à venir. Comme ça je te raconterai tout. C'était GÉANT. Tu rappliques dans combien de temps ? OK. Super. Bref, comme je te disais, il s'est pointé dans sa Mini. Je te raconte pas la classe du mec. Il avait son jean noir. Tu vois lequel ? Celui qui est vraiment chouette avec la couture qui...

Vati revenait de la cuisine où il était allé se chercher une tasse de thé qu'il touillait devant moi. Jas venait juste de me demander quelle veste avait Super-Canon et je m'apprêtais à lui répondre quand Vati nous a interrompues.

– Georgia, si Jas doit venir ici, tu peux m'expliquer pourquoi tu lui parles au téléphone ? Ça coûte, tu sais.

Et dire que je me demandais combien de temps les fascistes allaient mettre avant de repointer leurs museaux ! J'ai fait à Jas :

– Faut que je te laisse. J'ai déjà claqué deux pence. À toute.

19 h 20 Dans ma chambre en train de rêvasser à mon mariage. Au fait, est-ce qu'on peut se marier en noir ? Je ne saurai jamais, car Vati est entré pour me proposer une petite « discussion » familiale. Je connais par cœur la discussion familiale. Ça se résume en gros à une proposition de projets parentaux auxquels je suis supposée adhérer. Dans le cas contraire (c'est-à-dire dans tous les cas), je me fais traiter d'enfant gâtée et le couple parental me renvoie dans ma chambre.

Mais au jour d'aujourd'hui, la discussion familiale m'indiffère total.

Avec un max de courtoisie, j'ai fait comme ça à Vati :

– Écoute, pourquoi est-ce que pour une fois on ne m'épargnerait pas le truc méga gonflant où je dois me traîner en bas pour que vous me disiez ce que je dois faire et que je vous réponde qu'il n'en est pas question, et que vous me renvoyiez dans ma chambre juste après. La question est pourquoi est-ce que je ne peux pas rester dans ma chambre tout de suite ?

– Je ne comprends pas de quoi tu parles. Descends au salon, tu veux. Et tu peux me dire ce que tu as aux yeux ? On dirait qu'ils sont gonflés. Tu as pris froid ?

– Mais non, je me suis mis de la vaseline sur les cils. Ça les fait pousser.

– Tu n'as pas bientôt fini de te faire des trucs ?

En descendant, je me disais qu'il ferait bien de se faire des trucs, lui. Vati n'a jamais eu ce qu'on peut appeler le sens du look mais depuis son séjour au Pays-du-Kiwi-en-Folie, c'est encore pire. Aujourd'hui par exemple, il a un pantalon écossais. Pour tout le monde (sauf lui), c'est un crime contre l'humanité. Ah j'oubliais, il s'est taillé la barbe sans côtés ni moustache, ça lui fait juste un machin velu... tout au bout du menton. Quand on est entrés dans le salon, maman lui a fait un bécot sur la joue et elle lui a gratouillé son résidu de barbe... Révoltant !

Bref, je m'en tamponne le coquillard parce que je sors avec Super-Canon et que,par voie de conséquence, la vie est mêêêêêêrveilleuse.

Moi :

– OK, *El Barbido*, je m'installe confortablement, tu peux commencer à délirer.

El Barbido :

– J'ai une grande nouvelle ! ! ! On m'a prêté une maison de campagne en Écosse et je me suis dit qu'on pourrait aller y passer une semaine en famille. Prendre du bon temps ensemble, maman, Libby, grand-père, oncle Eddie, toi et moi. On peut même demander à ton cousin James de venir si tu as envie de voir des gens de ton âge. Qu'est-ce que tu en dis ?

Foutu *sacré bleu. Caca* et merde ! ! ! Voilà ce que j'en dis. Sauvée par le gong. On sonnait à la porte. C'était Miss Culotte-Méga-Couvrante avec qui je me suis dépêchée de disparaître dans ma chambre. «Ma» chambre étant un bien grand mot puisque, comme de juste, il y avait foule. À commencer par Libby qui occupait le lit, sa poupée Barbie, Charlie le cheval, Angus et Naomi.

Moi :

– Va jouer en bas avec papa, Libbs.

Mais, pour toute réponse, l'odieuse enfant s'est mise à danser sur mon lit en chantant : «Winnie, le bourdon. Winnie le bourdon». Je sentais qu'elle allait amorcer une descente de culotte car c'était clair qu'on approchait du final. Et pile au moment où je me dis ça, je m'aperçois que la culotte en question laisse apparaître un volume suspect.

– Arrête ça, Libbs.

– Veux faire pousser jambes.

– Surtout pas. Garde ta culotte.

Trop tard. J'ai cru que Jas allait tourner de l'œil. Miss Culotte-Méga-Couvrante n'a pas la plus petite idée de ce que c'est que d'avoir une petite sœur. Histoire d'être un peu tranquilles, on s'est réfugiées dans le placard de rangement. Je mourais d'envie de lui raconter mes exploits au rayon du bécot mais elle me soûlait avec son «fiancé» :

– On est allés à la campagne avec Tom.

– Pour quoi faire ?

– Ben, pour se retrouver tout seuls dans la nature.

– Pourquoi vous ne restez pas gentiment dans ta chambre avec quelques plantes vertes au lieu de se fader un voyage à la campagne ? De toute façon, si c'est pour se rouler des pallots qu'est-ce que ça change ?

– On s'est pas roulé des pallots.

– Tu parles ! Qu'est-ce que vous avez fait alors ?

– On a observé des trucs.

- Quels trucs ?

– La faune et la flore et plein de machins. Le genre qu'on fait en sciences nat. C'était vachement intéressant.

Tom connaît plein de trucs. Tu sais quoi ? On a trouvé du crachat de coucou et on a suivi la trace d'un blaireau.

J'ai applaudi à deux mains en bondissant tel un cabri.

– Du crachat de coucou !!! Trop cool !!! Si seulement j'avais pu venir avec vous ! Dommage, fallait que je me coltine un Super-Canon à bécoter.

Jas a viré au rose, genre méga vexée. Il se passe un truc trop poilant quand Jas se met en rogne. Rien que pour ça, ça vaut le coup de la faire bisquer. J'explique. Si vous cherchez Jas, elle pique toujours un fard qui oscille entre le rouge et le rose, et qui va du cou à la racine des cheveux, à l'exception du bout de son nez qui, lui, reste total blanc. C'est trop drôle. On dirait un panda rose en jupe courte et culotte surdimensionnée.

Comme elle continuait à faire du boudin, je lui ai passé le bras autour du cou.

Jas :

– C'est bon, tu peux arrêter ça.

– Tu sais, faut pas croire, mais je suis quand même un peu triste. Parce que c'est vrai que je suis méga heureuse, mais je ne peux pas m'empêcher de penser à Dave la Marrade. Il était vraiment sympa comme gars et... tu vois quoi... marrant. C'est trop affreux de lui avoir brisé le cœur.

Jas était en train de farfouiller dans le sac de pêche de Vati, ce qui n'est pas vraiment une bonne idée dans la mesure où il oublie souvent des vers de terre dedans et qu'immanquablement il y a grosse réunion de mouches bleues après.

– Au fait, Gee. Tu fais bien d'en parler, j'ai oublié de te dire que Dave la Marrade sortait avec Ellen. Tom et moi, on a rendez-vous avec eux tout à l'heure pour se faire un cinoche.

minuit Foutu *sacré bleu*! Officiellement, Dave la Marrade était fou de moi. Comment se fait-il qu'il sorte avec Ellen? Et comment ose-t-elle sortir avec lui? On rêve, non, ça fait cinq secondes à peine qu'il est mon ex.

1h00 On s'en fout. Je sors avec Super-Canon. Ça devrait me rendre gentille avec tout le monde, non?

1h05 Faut reconnaître, Dave me faisait marrer. Mais avec lui, je n'avais pas la jambe de poulpe.

1h10 C'est clair qu'avec Super-Canon je me liquéfie à mort. Mmmmmmmm, trop bien. Mais, d'un autre côté, il ne me fait pas marrer. Il me rendrait plutôt demeurée.

1h15 Je me demande si la Marrade fait le coup du mordillon de lèvres à Ellen?

1h20 Par la fenêtre, je vois Angus et sa Naomi rôder sournoisement sur le mur du jardin des Porte-à-Côté. Non mais je rêve, Angus est en train d'agiter la patte vers les caniches. Il ne manquerait plus qu'il y ait partie fine (ne me demandez surtout pas ce que c'est).

1h25 Ce qui pourrait se faire, c'est que d'un côté, j'aie un copain qui me fasse la jambe de poulpe et, de l'autre, un copain ordinaire pour me marrer avec.

1h30 Nom d'une pipe à volant, je me demande bien ce que me réserve l'avenir!!!

Louise Rennison a passé son enfance à Leeds avant d'être entraînée en Nouvelle-Zélande par ses parents, à l'âge de quinze ans. Pas pour longtemps : deux ans plus tard, la famille est de retour en Angleterre. À vingt ans, elle s'installe à Londres où elle s'essaie à différents petits boulots. C'est à la même époque qu'elle commence à voyager. Un peu plus tard, elle s'inscrit à un cours de comédie à Brighton et, en dépit du peu d'encouragements qu'on lui prodigue, elle écrit et interprète son premier one woman show autobiographique, *Stevie Wonder Felt My Face*, qui rencontre un franc succès. Ce premier spectacle remporte plusieurs prix au Festival d'Édimbourg et il est diffusé sur BBC 2. Elle en signe deux autres par la suite qu'elle interprète également (*Bob Marley's Gardener Sold My Friend* et *Never Eat Anything Bigger Than Your Head*) et se met à écrire pour d'autres acteurs comiques. Comédienne et auteur, Louise Rennison est également journaliste freelance pour la radio, la télévision et la presse écrite. Elle vit actuellement à Brighton et travaille au troisième tome des aventures de Georgia Nicolson.

Achevé d'imprimer
en septembre 2002
sur les presses de la Société Nouvelle Firmin-Didot
Mesnil-sur-l'Estrée

Loi n° 49-956 du 16 juillet 1949
sur les publications destinées à la jeunesse

N° d'imprimeur : 60696
Premier dépôt légal : juin 2001
Dépôt légal : septembre 2002
ISBN : 2-07-054593-8
Imprimé en France

14584